CW01083384

みんなの日本語 初級Ⅰ 第2版

Minna no Nihongo

初級で読めるトピック25

牧野昭子・澤田幸子・重川明美
田中よね・水野マリ子［著］

スリーエーネットワーク

Published by 3A Corporation.
Trusty Kojimachi Bldg., 2F, 4, Kojimachi 3-Chome, Chiyoda-ku, Tokyo 102-0083, Japan

ISBN978-4-88319-689-0 C0081

First published 2000
Second Edition 2014
Printed in Japan

はじめに

わたしたちは日頃から文字や表示などを「読む」ことによって様々な情報を得ています。また、ことばを学習する際には、学習した内容を音声だけでなく文字で確かめることによって、より理解を深め、記憶を助け、効率的に学習することができます。このように、「読む」ことはたいへん重要な活動です。

日本語の表記には漢字、ひらがな、かたかなの３種類の文字が使われているため、「読む」ことは難しいと感じ、消極的になっている方も多いでしょう。しかし、学習のごく初級の段階から「読む」練習を始めれば、次第に慣れてきます。また、読解が学習の中心となる中級以降の学習にもスムーズに入っていくことができます。

この本は、「読む」ことに慣れ、「読む」楽しさを味わうことを目指して作りました。読み物の種類も、文字や数字に慣れる練習から始まって、お知らせ、手紙、インタビュー、クイズ、アンケート、グラフなど様々なタイプの読み物を揃え、トピックも幅広く集めました。

この本は『みんなの日本語　初級Ｉ』の各課に対応しており、その学習項目に準拠して作ってあります。『みんなの日本語　初級Ｉ』で学習していない語彙は別冊に訳を載せました。ほかの教科書で勉強している方ももちろん使えますので、「学習項目一覧」を参考に適当な読み物を選んでください。

この本を活用して、「読む」おもしろさ、楽しさを経験してください。

2000年10月　著者一同

本書は『みんなの日本語　初級Ｉ　第２版　本冊』の発行に伴い、語彙・文型の見直しを行い、第２版として発行するものです。

2014年7月　スリーエーネットワーク

この本の使い方

この本は、「ウォーミングアップ」「本文」「プラスアルファ」で構成されています。

・ウォーミングアップ

『みんなの日本語　初級Ⅰ　第２版』の第５課までに合った内容になっていて、文字や文を読むことに慣れるための練習のページです。書いてあることが全部わからなくても、問題の答えがわかればいいです。気楽にやってみましょう。

・本文

『みんなの日本語　初級Ⅰ　第２版』の第６課～第25課に対応しており、その学習項目に準拠した内容になっています。

1. まずタイトル（題）を読んで、何について書かれているか考えてみます。
2. 全体の文章を読みます。わからないことばがあったら、ことばの翻訳（別冊）を見てください。少しぐらいわからないところがあっても、気にしないで最後まで読みましょう。
3. 問題Ⅰをやり、解答（別冊）で答えを確かめます。まちがっていたら、もう一度読み直します。
4. さらに問題Ⅱの指示に従って、いろいろな活動をしてみましょう。
5. 読み物の内容をより深く理解するために資料がついているものもありますので、参考にしてください。

・プラスアルファ

第11、12、14、15、18、20、21、22、24、25課には本文のほかにプラスアルファのページがついています。クイズやアンケート、実際のデータなどいろいろあります。余裕があったら、チャレンジしてみましょう。

Foreword

By means of reading letters, words and sentences, we acquire various types of information. Moreover, when learning new words, the process of studying not only includes confirming the pronunciation and meaning of those words, but can also involve aiding people to cultivate a greater understanding of the words, improving their memory, and even helping them study more efficiently. For all these reasons, reading is an extremely important activity.

Because Japanese writing is made up of three types of letters — kanji, hiragana and katakana — reading Japanese can seem difficult, and many people want to give up before they have even begun. However, if you start practicing reading from the very beginning of your Japanese studies, you will gradually become used to it. It will also help you to smoothly advance to the intermediate level, at which stage much more emphasis is placed on reading comprehension.

This book has been made with the aim of allowing people not only to become used to reading Japanese but also to enjoy it. With this in mind, a great number of topics as well as a variety of reading materials, ranging from letters, notices and interviews to quizzes, questionnaires and graphs, have been included in the book.

The book closely follows the material in the individual lessons of *Minna no Nihongo Shokyu I*. Any words not found in *Minna no Nihongo Shokyu I* can be located in the attached Vocabulary List. This book can also be used by students using other textbooks. Simply refer to the study items list to find the most appropriate reading material.

We hope that by using this book reading Japanese will become an interesting and enjoyable experience for everyone.

The authors
October 2000

With the publication of *Minna no Nihongo Shokyu I Second Edition Main Text*, the vocabulary and grammar in this book have been revised and the book now published as a Second Edition.

3A Corporation
July 2014

How to use this book

This book is made up of three main parts: Warm-up, Main Text and Plus Alpha.

- **Warm-up**

  This section matches the material in the first five lessons of *Minna no Nihongo Shokyu I Second Edition* and includes a practice page to help you become used to reading words and sentences in Japanese. Even if you do not understand all of the written material, you should try to answer the questions.

- **Main Text**

  Corresponding to Lessons 6 to 25 of *Minna no Nihongo Shokyu I Second Edition*, the Main Text covers all the items to be learned in those lessons. Use this part of the book in the following manner:
  1. First of all, read the title and think about what the passage concerns.
  2. Read the main body of the text. If there are any words you do not understand, look them up in the attached Vocabulary List. Even if there are parts you do not understand, try to read to the end of the text.
  3. Do Exercise I and check your answers in the attached Answer Book. If you find you have made a mistake, try to do the exercise in question again.
  4. Following the instructions, do the activities outlined in Exercise II.
  5. Some data accompany the reading passages to help you completely understand the contents. Be sure to refer to this material.

- **Plus Alpha**

  In Chapters 11, 12, 14, 15, 18, 20, 21, 22, 24 and 25, there is also a Plus Alpha page. Here you will find various types of reading material such as quizzes, questionnaires, data, etc. If you have the time, please try these.

Kata Pengantar

Kita selalu mendapatkan berbagai informasi dengan "membaca" huruf, petunjuk dan lain-lain. Kemudian ketika mempelajari bahasa dengan mengkonfirmasikan isi yang telah dipelajari tidak hanya dengan suara, tetapi juga dengan huruf-huruf, memperdalam pengertian, membantu ingatan, dan akhirnya bisa mempelajarinya secara efektif. Dengan demikian "membaca" adalah kegiatan yang sangat penting.

Untuk menulis bahasa Jepang dipakai tiga jenis huruf yaitu *Kanji*, *Hiragana*, dan *Katakana*. Oleh karena itu tidak sedikit orang yang merasa bahwa "membaca" adalah hal sulit dan menjadi pasif. Tetapi jika sejak pertama kali belajar memulai latihan "membaca", maka sedikit demi sedikit akan menjadi terbiasa. Kemudian pelajar juga dapat melanjutkan dengan lancar ke tingkat menengah dan lanjutan, dimana membaca adalah sebagai pusat pelajaran.

Buku ini disusun agar pelajar terbiasa dengan "membaca" dan menikmati senangnya "membaca". Terdapat jenis bacaan mulai dari latihan untuk membiasakan huruf dan angka, pengumuman, surat, wawancara, kuis, angket, grafik dan lain-lain yang disajikan dalam bacaan, topiknya juga dikumpulkan secara luas.

Buku ini berhubungan dengan setiap pelajaran "Minna no Nihongo Tingkat Dasar I" dan berdasarkan atas poin-poin pelajarannya. Kosa kata yang tidak dipelajari pada "Minna no Nihongo Tingkat Dasar I" dimuat di dalam buku terjemahan. Bagi orang-orang yang mempelajari dengan buku lain tentu saja dapat menggunakan maka pilihlah bacaan yang tepat sambil mereferensikan "Lampiran Poin Pelajaran".

Silakan menggunakan buku ini agar menikmati pengalaman "membaca" yang menyenangkan.

Penulis
Oktober 2000

Buku ini sesuai dengan terbitnya "Minna no Nihongo Tingkat Dasar I Versi 2", mengevaluasi kosa kata dan pola kalimat kemudian menerbitkan sebagai versi 2.

3A Corporation
Juli 2014

Cara Penggunaan Buku Ini

Buku ini terdiri dari " Latihan Pembukaan", "Latihan Bacaan", dan "Latihan Tambahan".

· **Latihan Pembukaan**

Isinya dicocokkan dengan buku "Minna no Nihongo Tingkat Dasar I Versi 2" sampai dengan Pelajaran 5, yang merupakan halaman latihan agar terbiasa dengan huruf atau membaca kalimat. Meskipun tidak mengerti semua yang ditulis, tetapi Anda cukup dapat menjawab soal pertanyaan.

· **Latihan Bacaan**

Isinya dicocokkan dengan buku "Minna no Nihongo Tingkat Dasar I Versi 2" dari Pelajaran 6 sampai Pelajaran 25, dan disesuaikan dengan poin-poin pelajaran tersebut.

1. Pertama-tama membaca judul, kemudian memikirkan apa yang ditulis.
2. Membaca keseluruhan. Jika terdapat hal yang kurang mengerti, silakan lihat terjemahan kata (Lampiran). Tidak perlu dipikirkan jika ada hal yang sedikit kurang mengerti, tetapi bacalah sampai akhir.
3. Mengerjakan Latihan I, kemudian mengecek jawaban pada kunci jawaban (Lampiran). Jika salah, bacalah sekali lagi.
4. Selanjutnya mengikuti petunjuk Latihan II, dan lakukanlah berbagai aktifitas.
5. Silakan gunakan data yang terdapat untuk memahami isi bacaan lebih dalam.

· **Latihan Tambahan**

Pada Pelajaran 11, 12, 14, 15, 18, 20, 21, 22, 24 dan 25 disajikan halaman untuk Latihan Tambahan. Isinya adalah berbagai kuis, angket, data asli dan lain-lain. Silakan coba jika sanggup.

คำนำ

“การอ่าน” สิ่งต่าง ๆ ไม่ว่าจะเป็นตัวอักษร คำศัพท์ หรือประโยค ทำให้เราได้รับข้อมูลข่าวสารต่าง ๆ เสมอ การเรียนคำศัพท์ไม่ใช่แค่เรียนการออกเสียงเท่านั้น แต่การเรียนโดยทำความเข้าใจความหมายจะช่วยให้เข้าใจคำศัพท์นั้นได้ลึกซึ้งขึ้น ช่วยพัฒนาความจำ และส่งผลให้การเรียนเกิดประสิทธิภาพ ด้วยเหตุนี้ การอ่านจึงเป็นทักษะที่สำคัญอย่างยิ่งในการเรียน

เนื่องจากระบบการเขียนภาษาญี่ปุ่นใช้ตัวอักษรถึง 3 ประเภท คือ คันจิ ฮิรางานะ และคาตากานะ จึงอาจมีผู้เรียนหลายท่านรู้สึกว่าการอ่านภาษาญี่ปุ่นเป็นเรื่องยากและรู้สึกท้อถอย แต่หากเริ่มฝึกฝนการอ่านตั้งแต่เนิ่น ๆ ในการเรียนระดับต้น ก็จะค่อย ๆ คุ้นเคยกับการอ่านมากขึ้นเรื่อย ๆ ยิ่งไปกว่านั้น เมื่อผู้เรียนจะปรับระดับการเรียนไปสู่ระดับที่สูงขึ้นซึ่งเน้นการอ่านทำความเข้าใจเป็นหลัก การฝึกฝนการอ่านตั้งแต่เนิ่น ๆ ก็จะช่วยให้การเรียนต่อในระดับที่สูงขึ้นเป็นไปอย่างราบรื่นด้วย

แบบเรียนเล่มนี้เขียนขึ้นโดยมีวัตถุประสงค์เพื่อให้ผู้เรียนคุ้นเคยและรู้สึกสนุกสนานกับการอ่าน ผู้เรียนจะได้ฝึกอ่านบทอ่านหลากหลายประเภทซึ่งครอบคลุมหลายหัวข้อ เริ่มตั้งแต่ฝึกอ่านตัวอักษรและตัวเลขให้คุ้นเคย ไปจนกระทั่งฝึกอ่านประกาศ จดหมาย การสัมภาษณ์ ควิซ แบบสอบถาม และกราฟ เป็นต้น

แบบเรียนเล่มนี้สอดรับกับเนื้อหาแต่ละบทในตำรา Minna no Nihongo Shokyu I ผู้เรียนสามารถค้นหาคำศัพท์ที่ไม่ปรากฏในตำรา Minna no Nihongo Shokyu I ได้จาก ‘คำแปลคำศัพท์’ ซึ่งพิมพ์เป็นเล่มแยกอยู่ท้ายเล่ม ผู้เรียนที่เรียนภาษาญี่ปุ่นโดยใช้ตำราอื่นก็สามารถใช้แบบเรียนเล่มนี้ประกอบการเรียนได้โดยเลือกบทอ่านที่เหมาะสมจาก ‘ตารางสรุปหัวข้อที่ศึกษา’

ขอให้ทุกท่านได้รับประสบการณ์ที่สนุกสนานและเพลิดเพลินจากการอ่านภาษาญี่ปุ่นในแบบเรียนเล่มนี้

คณะผู้เขียน
ตุลาคม 2000

แบบเรียนเล่มนี้เป็นฉบับปรับปรุง โดยจัดพิมพ์ควบคู่กับตำรา Minna no Nihongo Shokyu I Second Edition Main Text คำศัพท์และรูปประโยคในแบบเรียนเล่มนี้ได้รับการปรับปรุงแก้ไขแล้ว

3A Corporation
กรกฎาคม 2014

วิธีใช้แบบเรียนเล่มนี้

แบบเรียนเล่มนี้ประกอบด้วย 3 ส่วน คือ “เตรียมความพร้อม” “บทอ่านหลัก” และ “พลัสอัลฟา”

- **เตรียมความพร้อม**

เนื้อหาในส่วนนี้จะตรงกับเนื้อหา 5 บทแรกของตำรา Minna no Nihongo Shokyu I Second Edition โดยเป็นหน้าสำหรับฝึกฝนเพื่อให้ผู้เรียนคุ้นเคยกับตัวอักษรและการอ่านประโยคภาษาญี่ปุ่น แม้ว่าจะไม่เข้าใจเนื้อหาทั้งหมด แต่หากทราบคำตอบของคำถามก็ถือว่าใช้ได้แล้ว โปรดทำส่วนนี้อย่างสบาย ๆ ไม่ต้องเคร่งเครียด

- **บทอ่านหลัก**

เนื้อหาในส่วนนี้จะสอดคล้องกับเนื้อหาบทที่ 6-25 ของตำรา Minna no Nihongo Shokyu I Second Edition ขั้นตอนการศึกษาเนื้อหาในส่วนนี้เป็นลำดับดังนี้

1. อ่านชื่อบทอ่านเป็นอย่างแรก และพิจารณาว่าบทอ่านจะเกี่ยวข้องกับเรื่องอะไร
2. อ่านบทอ่านทั้งหมด ถ้ามีคำศัพท์ที่ไม่เข้าใจให้ดูใน ‘คำแปลคำศัพท์’ (เล่มแยก) และแม้ว่าจะอ่านเจอจุดที่ไม่เข้าใจแม้เพียงเล็กน้อย ก็อย่าเพิ่งกังวลและพยายามอ่านต่อจนจบ
3. ทำ ‘แบบฝึกหัด I’ แล้วตรวจคำตอบจาก ‘เฉลย’ (เล่มแยก) หากมีข้อที่ทำผิด ให้อ่านบทอ่านใหม่อีกครั้ง
4. ลองทำกิจกรรมต่าง ๆ ตามคำสั่งใน ‘แบบฝึกหัด II’
5. บทอ่านบางบทจะมีข้อมูลอ้างอิงเพื่อช่วยให้เข้าใจเนื้อหาในบทอ่านอย่างถ่องแท้ ดังนั้นโปรดใช้ข้อมูลนั้นประกอบการอ่านด้วย

- **พลัสอัลฟา**

สำหรับบทที่ 11, 12, 14, 15, 18, 20, 21, 22, 24 และ 25 นอกจากบทอ่านหลักแล้วจะมีพลัสอัลฟา ซึ่งเป็นแบบฝึกอ่านเพิ่มเติมรูปแบบต่าง ๆ ด้วย เช่น ควิซ แบบสอบถาม ข้อมูลต่าง ๆ เป็นต้น หากผู้เรียนมีเวลาโปรดลองทำดู

Lời nói đầu

Trong cuộc sống hàng ngày, chúng ta thu nhận nhiều thông tin khác nhau thông qua việc "đọc" chữ hay các ký hiệu. Trong quá trình học ngôn ngữ, thông qua việc kiểm chứng lại những nội dung đã học không chỉ bằng âm thanh tiếng nói mà bằng cả chữ viết, người học có thể hiểu sâu hơn, nhớ tốt hơn và từ đó học một cách hiệu quả hơn. Như vậy, có thể nói rằng, việc "đọc" là một hoạt động rất quan trọng.

Trong hệ thống chữ viết của tiếng Nhật có sử dụng ba loại là chữ Hán, chữ Hiragana, chữ Katakana nên nhiều người cảm thấy việc "đọc" là khó và trở nên thiếu tích cực. Nhưng nếu người học bắt đầu việc luyện "đọc" từ những bước sơ đẳng nhất của quá trình học tập thì sẽ dần dần quen và thích nghi được. Ngoài ra, nó còn giúp cho người học có thể chuyển một cách trơn tru sang bậc học trung cấp trở đi với trọng tâm là kỹ năng đọc hiểu.

Cuốn sách này được biên soạn với mục đích giúp người học quen với việc "đọc" và cảm nhận được niềm vui của việc "đọc". Các loại bài đọc cũng được bắt đầu từ việc tập làm quen với các loại chữ và các con số, chủ đề cũng khá rộng dưới dạng nhiều bài đọc phong phú như thông báo, thư từ, cuộc phỏng vấn, câu đố, phiếu thăm dò khảo sát, đồ thị, v.v...

Chúng tôi biên soạn cuốn sách này dựa theo từng bài có trong giáo trình *Minna no Nihongo Shokyu I* và lấy các nội dung học của giáo trình làm chuẩn. Các từ vựng chưa được nêu trong giáo trình *Minna no Nihongo Shokyu I* đều được dịch ra ở Phần phụ lục. Tất nhiên, những bạn đang theo học các giáo trình khác cũng có thể sử dụng cuốn sách này cho nên các bạn hãy tham khảo phần *Mục lục các nội dung học* để lựa chọn bài đọc thích hợp.

Hãy sử dụng tích cực cuốn sách này để cảm nhận được niềm vui, sự thú vị của việc "đọc"!

Tháng 10 năm 2000
Nhóm tác giả

Đây là cuốn sách được phát hành như là Phiên bản 2 cùng với việc ra mắt cuốn giáo trình *Minna no Nihongo Shokyu I – Phiên bản 2*, trong đó có tiến hành chỉnh sửa về từ và mẫu câu.

Tháng 7 năm 2014
3A Corporation

Cách sử dụng cuốn sách này

Cuốn sách này có kết cấu bởi các phần: *Phần khởi động, Phần chính và Phần mở rộng.*

· PHẦN KHỞI ĐỘNG

Là những trang bài luyện tập có nội dung tương ứng cho đến Bài 5 của *Minna no Nihongo Shokyu I – Phiên bản 2* để giúp người học làm quen với việc đọc các loại chữ viết và con số. Phần này, chúng ta không nhất thiết phải hiểu hết tất cả nội dung của bài viết mà chỉ cần trả lời được câu hỏi là đạt. Chúng ta hãy cứ thử làm bài một cách thoải mái!

· PHẦN CHÍNH

Là những nội dung tương ứng từ Bài 6~Bài 25 của *Minna no Nihongo Shokyu I – Phiên bản 2* và đều lấy theo tiêu chí nội dung học của các bài này.

1. Đầu tiên, bạn hãy đọc tiêu đề của bài và thử suy nghĩ xem bài đó sẽ viết về cái gì?
2. Bạn đọc toàn bộ bài. Có từ nào không hiểu, bạn hãy xem phần dịch từ (ở Phần phụ lục). Và nếu cho dù có một đôi chỗ không hiểu thì bạn cũng đừng quá bận tâm mà hãy đọc cho đến hết bài.
3. Bạn làm Bài tập I, đối chiếu với đáp án (ở Phần phụ lục). Nếu thấy sai, bạn đọc lại một lần nữa.
4. Tiếp theo, bạn hãy làm theo các yêu cầu của Bài tập II để tham gia nhiều hoạt động khác nhau.
5. Có cả các tài liệu đi kèm nhằm giúp người học hiểu nội dung bài đọc một cách sâu sắc hơn, do đó bạn hãy tham khảo chúng.

· PHẦN MỞ RỘNG

Ở các bài 11, 12, 14, 15, 18, 20, 21, 22, 24, 25, ngoài *Phần chính* ra còn có thêm trang *Phần mở rộng*. Có nhiều hình thức khác nhau như câu đố, phiếu thăm dò khảo sát, các bài dữ liệu có trong thực tế… Nếu cảm thấy còn dôi sức, bạn hãy thử sức mình xem!

前言

平时，我们通过“阅读”文字、表现等来获得各种信息。当我们学习语言的时候，不仅仅是通过声音，而且还可以用文字加以确认，以此来加深理解和帮助记忆所学的内容，提高学习效率。由此可见，“阅读”在学习语言的过程中，起着非常重要的作用。

由于日语中有汉字，平假名，片假名三种书写文字，很多人感到“阅读”很难，因此，会采取消极的态度。但是，只要在初级阶段就开始练习“阅读”的话，就会逐渐习惯，同时，这将有助于学习者顺利地进入以阅读和理解为中心的中级阶段。

本书是以习惯“阅读”，体验“阅读”的乐趣为目的而编写的教材。从熟悉文字、数字的练习到通知、书信、采访、智力问答、问卷调查、图表等各类阅读材料，本书收录内容丰富，话题也非常广泛。

本书是对应《みんなの日本語 初級 Ⅰ》的每篇课文，按照其学习项目编写而成的。《みんなの日本語 初級 Ⅰ》没有出现过的词汇写进了附册里。当然使用其他教材的学习者也可参照“学习项目一览”选择适当的文章阅读。

希望通过学习本书，体验“阅读”的乐趣。

编者

2000年10月

此次，随着《みんなの日本語 初級 Ⅰ 第2版 本冊》的发行，本书在对词汇、句型进行了重新编写整理后，作为第2版再次发行。

3A股份有限公司

2014年7月

本书的使用方法

本书由「课前准备练习」「课文」「补充读物」构成。

・课前准备练习

该部分与《みんなの日本語(にほんご) 初級(しょきゅう) I 第(だい)2版(はん)》第5课为止的课文内容相对应，是为了使学习者习惯于阅读文字、句子而设的练习。所写内容即使没有完全理解也没关系，只要知道问题的答案即可。请大胆地试一试。

・课文

该部分与《みんなの日本語(にほんご) 初級(しょきゅう) I 第(だい)2版(はん)》第6课～第25课的课文内容相对应，其内容是按照其学习项目编排的。

1．首先阅读题目，然后想一想课文是由什么内容组成的
2．阅读整篇文章。如有不懂的单词，请参照词汇表（附册）。即使有一些不懂之处，也没关系，请坚持看到最后。
3．作完问题 I 后，对答案（参照附册）。如有错处，请重看一遍课文。
4．另外，请按照问题 II 的要求，做各种练习。
5．为了使学习者更好地理解文章内容，也有些文章附加了资料，请作参考。

・补充读物

第11、12、14、15、18、20、21、22、24、25课，除了课文以外，还增加了补充读物。内容有智力问答、问卷调查、实际的资料等。如有时间，不妨试一试。

머리말

우리들은 평소에 문자나 표기등을 읽고 여러가지 정보를 얻습니다. 그리고, 언어를 배울 때에는 학습한 내용을 음성만이 아닌 문자로 확인하는 것이 보다 더 이해하기 쉽고 암기에도 도움이 됩니다. 이처럼「읽기」는 효율적인 학습을 위한 중요한 역할을 합니다.

일본어는 한자, 히나가나, 가타카나 등 세 가지 문자로 표기되기 때문에「읽기」를 어렵게 느껴 소홀히 하시는 분들이 많을 듯 합니다. 그러나 학습의 초급 단계부터「읽기」연습을 시작한다면, 차차 익숙해지고 독해가 학습의 중심인 중급 이후의 학습에도 큰도움이 될 것입니다.

이 책은「읽기」에 익숙해지고「읽기」의 즐거움을 느낄 수 있도록 구성되어 있습니다. 문장의 종류도 문자와 숫자를 익히는 연습부터 알림,편지,인터뷰,퀴즈, 앙케이트,그래프 등 다양한 형태의 읽을 거리로 구성되어 있고, 토픽도 폭넓게 선택하였습니다.

이 책은『みんなの日本語 初級 I』의 각 과에 대응되며 그 학습목록에 준거하여 만들어졌습니다.『みんなの日本語 初級 I』에서 배우지 않은 어휘는 별책부록에 번역을 실었습니다. 물론 다른 교과서를 가지고 공부하는 분들도 이 책을 사용하실 수 있으므로「학습항목일람」을 참고하여 적당한 내용을 선택하시길 바랍니다.

이 책을 통해「읽기」의 재미와 즐거움을 체험해 보시길 바랍니다.

2000년10월
저자 일동

이 책은『みんなの日本語 初級 I 第2版 本冊』의 발행과 더불어, 어휘・문형을 수정하여 제2판으로 발행한 것입니다.

2014년 7월 スリーエーネットワーク

이 책의 사용법

이 책은「워밍업」,「본문」그리고「플러스 알파」로 구성되어 있습니다.

· 워밍업

『みんなの日本語 初級 I 第2版』의 제5과까지의 내용에 맞춰져 있고, 일본어 글자와 문장에 익숙해지기 위한 읽기용 연습페이지입니다. 써져 있는 내용을 전부 이해하지 못해도 문제의 답을 알면 됩니다. 가벼운 마음으로 해 봅시다.

· 본문

『みんなの日本語 初級 I 第2版』의 제6과부터 제25과까지와 대응되어 있고, 내용도 그 학습항목에 준하여 구성하였습니다.

학습순서는 :

1. 먼저 제목을 보고 무슨 내용인지 생각해 봅니다.
2. 전체 문장을 읽어 봅시다. 모르는 단어가 있으면 부록에 있는 어휘 번역을 참고하세요. 조금 모르는 부분이 있어도 개의치 말고 마지막까지 읽어 봅시다.
3. 문제1을 풀어보고 별책부록의 해답과 대조해 봅시다. 틀린 곳은 다시 한번 본문을 읽어 봅시다.
4. 계속해서 문제2의 지시에 따라 여러 가지 연습을 해 봅시다.
5. 본문을 보다 깊이 이해할 수 있도록 자료를 첨부한 곳도 있으니 참고하기 바랍니다.

· 플러스 알파

제11과, 12, 14, 15, 18, 20, 21, 22, 24, 25과에는 본문 이외에 플러스 알파 페이지가 첨가되어 있습니다. 퀴즈, 앙케이트, 실제 데이터 등 다양한 내용이 있으므로 여유가 있으면 도전해 보기 바랍니다.

目次

学習項目一覧
がくしゅうこうもくいちらん

	題	学習項目
ウォーミングアップ 1	お国は　どちらですか	ひらがな・かたかな ～は　～です どちら，　いくら ～から　～まで ～へ　行きます，　[飛行機] で いつ，　～曜日 ～時から　～時まで ～時に
ウォーミングアップ 2	ジュースを　お願いします	
ウォーミングアップ 3	こうべまで　いくらですか	
ウォーミングアップ 4	いつ　行きますか	
ウォーミングアップ 5	何時の　飛行機で？	
第 6 課	お花見	～を　～ます，　[駅] で　～ます ～ませんか，～ましょう
第 7 課	もらいました・あげました	[人] に　[物] を　あげます／もらいます
第 8 課	町の　生活・田舎の　生活	形容詞，　どうですか
第 9 課	日本が　好きです	～が　好きです／上手です ～から（理由）
第10課	美術館	～に　～が　あります／います 前・うしろ・右・左
第11課	お祭り お祭りに　行きましょう	～人／～回／～台／～つ／～枚
第12課	沖縄旅行 クイズ　世界と　日本	[形容詞] かったです／でした ～は　～より，　どちらが　～ ～が　いちばん
第13課	宝くじ	～が　欲しいです／～たいです ～へ　～に　行きます

課	内容	文法
第14課	ビデオレター	[弾い]て　います
	みんなの　伝言板	～て　ください
第15課	高校	～ても　いいです，～ては　いけません
	日本の　高校生に　聞きました	[働い]て　います
第16課	想像の　動物	～は　～が　～，　～て／～くて／～で
第17課	江戸時代	～なければ　なりません ～なくても　いいです
第18課	個人旅行？　団体旅行？	～　ことが　できます，～　まえに
	ここは　どこですか	趣味は　～　ことです
第19課	相撲	～た　ことが　あります ～たり，～たり　します ～く／～に　なります
第20課	伊能忠敬の　一生	普通体
	クイズ　地図の　記号 クイズ　日本の　地理	
第21課	雨　降って、地　固まる	～と　言います，　～と　思います
	結婚!!??	～でしょう？
第22課	テレビ放送	名詞修飾[東京に　あった　テレビ]
	テレビ番組 東京スカイツリーと 法隆寺五重塔	
第23課	コーヒーを　飲むと	～と，　～　とき
第24課	日本語で　お願いします	～て　くれます
	それ、英語？	～て　もらいます
第25課	将来は…	～たら
	若い　人の　考え方	～ても

ウォーミングアップ　1

お国(くに)は　どちらですか

☆どこから　来(き)ましたか。

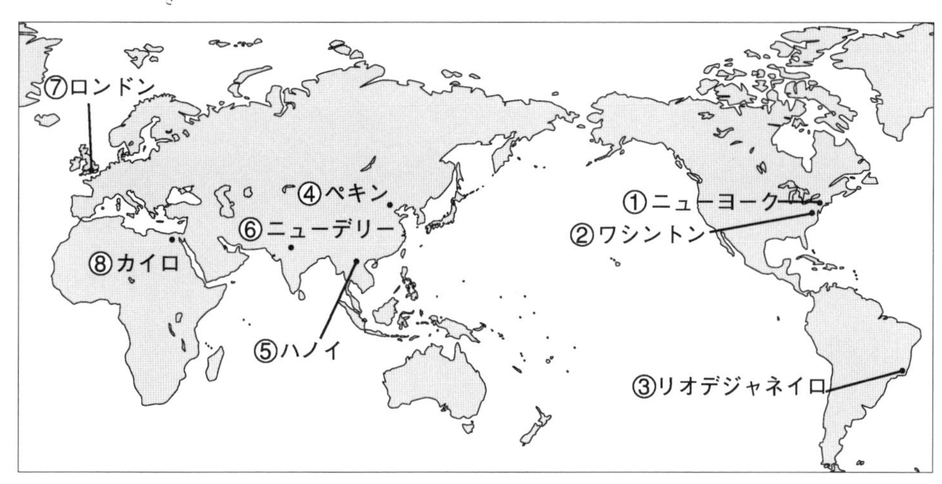

例(れい)　失礼(しつれい)ですが、お名前(なまえ)は？

…モームです。

お国(くに)は　どちらですか。

…イギリスです。 ロンドンから　来(き)ました。　　（　⑦　）

1．初(はじ)めまして。 ワシントンです。 アメリカから　来(き)ました。

うちは　ニューヨークです。 どうぞ　よろしく。　　（　　　）

2．皆(みな)さん、こちらは　ナセルさんです。

…ナセルです。 エジプトの　カイロから　来(き)ました。

よろしく　お願(ねが)いします。　　（　　　）

3．ホーさんは　中国(ちゅうごく)の　方(かた)ですか。

…いいえ、ベトナムの　ハノイから　来(き)ました。　　（　　　）

ウォーミングアップ　2

ジュースを　お願（ねが）いします

いらっしゃいませ。メニューです。どうぞ。

メニュー

コーヒー	300円（えん）	サンドイッチ	600円（えん）
紅茶（こうちゃ）	300円（えん）	ハンバーガー	350円（えん）
ジュース	350円（えん）	スパゲッティ	700円（えん）
ビール	400円（えん）	カレー	750円（えん）
アイスクリーム	350円（えん）	サラダ	400円（えん）

レストラン　みんな

☆いくらですか。

1．ホン（　　）円（えん）　　2．ジル（　　）円（えん）　　3．マーク（　　）円（えん）

1．ホン

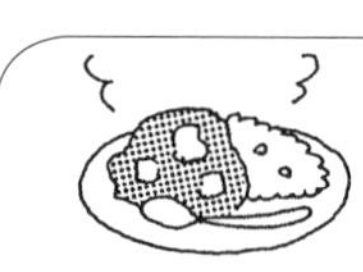

カレーと　コーヒーを　ください。

2．ジル

サンドイッチと　ジュースを　お願（ねが）いします。

3．マーク

スパゲッティと　サラダと　ビールを　ください。

ウォーミングアップ **3**

こうべまで　いくらですか

JRの　おおさか駅(えき)です。

1．すみません。 きょうとまで　いくらですか。

　…（　　　）円(えん)ですよ。

2．ならへ　行(い)きます。 いくらですか。

　…（　　　）円(えん)です。

3．あかしまで　300円(えん)ですか。

　…いいえ、あかしは（　　　）円(えん)ですよ。

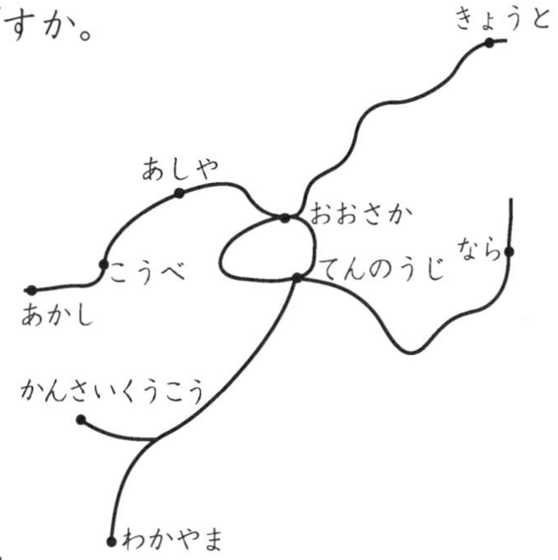

JR　うんちん					
えき	うんちん	えき	うんちん	えき	うんちん
あかし	920	きょうと	560	てんり	970
あしや	300	くさつ	1,140	なら	800
いしやま	970	こうべ	410	ひねの	800
いたみ	240	さかいし	300	まいこ	800
うじ	970	しおや	710	ももやま	840
おおとり	460	すいた	180	わかやま	1,240

（2014年7月現在。現金の場合）

▶ **ウォーミングアップ 4**

いつ　行(い)きますか

☆ケンさんは　いつ　歯医者(はいしゃ)へ　行(い)きますか。

ケンさんの　１週間(しゅうかん)

	9：00 ～ 12：00	12：00 ～ 17：00	17：00 ～ 21：00
月(げつ) MON	大学(だいがく)	大学(だいがく)	クラブ活動(かつどう)
火(か) TUE		アルバイト	
水(すい) WED		大学(だいがく)	
木(もく) THU			
金(きん) FRI			クラブ活動(かつどう)
土(ど) SAT	アルバイト		
日(にち) SUN		テニス	

塩崎歯科(しおざきしか)　電話(でんわ)　84-1325

診療時間(しんりょうじかん)	月(げつ)	火(か)	水(すい)	木(もく)	金(きん)	土(ど)	日(にち)
あさ　9：00～12：00	○	○	＼	○	○	○	○
ひる　3：00～　5：00	○	○	＼	○	○	＼	＼
よる　7：00～　9：00	○	＼	＼	○	＼	＼	＼

ウォーミングアップ　5

何時(なんじ)の　飛行機(ひこうき)で？

田中(たなか)さんは　月曜日(げつようび)の　朝(あさ)　福岡(ふくおか)から　東京(とうきょう)の　本社(ほんしゃ)へ　行(い)きます。本社(ほんしゃ)の　会議(かいぎ)は　10時(じ)から　5時(じ)までです。本社(ほんしゃ)から　空港(くうこう)まで　JRで　30分(ぷん)です。夜(よる)　福岡(ふくおか)へ　帰(かえ)ります。

1．何時(なんじ)の　飛行機(ひこうき)で　行(い)きますか。

2．何時(なんじ)の　飛行機(ひこうき)で　帰(かえ)りますか。

福岡(ふくおか)→東京(とうきょう)（羽田(はねだ)）

便名(びんめい)	出発(しゅっぱつ)	到着(とうちゃく)
JAL300	07:00	08:25
JAL302	08:00	09:30
JAL304	08:25	09:55
JAL306	09:00	10:30
JAL310	10:00	11:30
JAL312	11:00	12:30
JAL314	12:00	13:30
JAL316	13:00	14:30
JAL318	14:00	15:30
JAL320	15:00	16:30
JAL322	16:00	17:30
JAL324	17:00	18:30
JAL326	17:25	18:55
JAL328	18:00	19:30
JAL330	19:00	20:30
JAL332	20:00	21:30
JAL334	21:00	22:30

東京(とうきょう)（羽田(はねだ)）→福岡(ふくおか)

便名(びんめい)	出発(しゅっぱつ)	到着(とうちゃく)
JAL301	06:15	08:15
JAL303	07:10	09:10
JAL305	08:10	10:10
JAL307	08:35	10:35
JAL309	09:15	11:15
JAL311	10:15	12:15
JAL313	11:20	13:20
JAL315	12:10	14:10
JAL317	13:15	15:15
JAL319	14:10	16:10
JAL321	15:15	17:15
JAL323	16:15	18:15
JAL325	17:10	19:10
JAL329	18:15	20:15
JAL331	18:50	20:50
JAL333	19:30	21:35
JAL335	19:50	21:50

（JAL国内線時刻表　2014年1月7日～2014年2月28日）

お花見(はなみ)を　しましょう

奈良(なら)の　吉野山(よしのやま)へ　行(い)きませんか。

吉野山(よしのやま)で　お花見(はなみ)を　します。

電車(でんしゃ)と　ロープウエーで　行(い)きます。

吉野山(よしのやま)で　昼(ひる)ごはんを　食(た)べます。

桜(さくら)の　写真(しゃしん)を　撮(と)りましょう。

皆(みな)さん、いっしょに　行(い)きましょう。

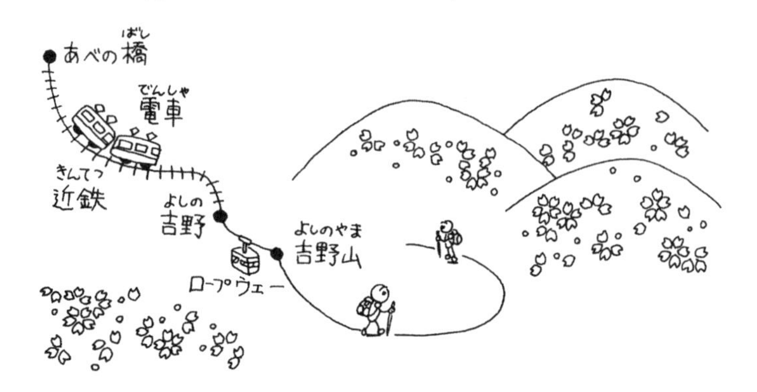

いつ　　：4月(がつ)18日(にち)（土曜日(どようび)）

どこで　：あべの橋駅(ばしえき)で　午前(ごぜん)　7時(じ)30分(ぷん)に　会(あ)います

いくら　：2,550円(えん)（電車(でんしゃ)、ロープウエー）

持(も)ち物(もの)　：お弁当(べんとう)、飲(の)み物(もの)

申(もう)し込(こ)み：田中(たなか)（Tel. 194-0873）

＊☂　　：行(い)きません

Ⅰ　アンさんは 「お花見(はなみ)を しましょう」を 読(よ)みました。
メルさんに 会(あ)いました。

アン　：　4月(がつ)18日(にち)に （例(れい)：吉野山(よしのやま)）へ 行(い)きませんか。

メル　：　何曜日(なんようび)ですか。

アン　：　（①　　　　）です。

メル　：　何(なに)を しますか。

アン　：　（②　　　　）を します。

メル　：　いいですね。 何時(なんじ)に 行(い)きますか。

アン　：　（③　　　　）に あべの橋駅(ばしえき)で 会(あ)いましょう。
電車(でんしゃ)と ロープウエーで 行(い)きます。

メル　：　いくらですか。

アン　：　（④　　　　）です。
お弁当(べんとう)と （⑤　　　　）を 持(も)って 行(い)きます。

メル　：　わかりました。 じゃ、18日(にち)に 会(あ)いましょう。

第7課　本文

もらいました・あげました

　わたしは　去年(きょねん)　ペルーから　日本(にほん)へ　来(き)ました。
ワットさんに　テレビを　もらいました。松本(まつもと)さんに　机(つくえ)を
もらいました。山田(やまだ)さんに　コートを　もらいました。会社(かいしゃ)の　人(ひと)に
自転車(じてんしゃ)を　借(か)りました。わたしは　皆(みな)さんに　ペルーの　お土産(みやげ)を
あげました。

　わたしは　来週(らいしゅう)　国(くに)へ　帰(かえ)ります。きょう　会社(かいしゃ)の　人(ひと)に　自転車(じてんしゃ)を
返(かえ)しました。友達(ともだち)に　テレビと　机(つくえ)を　あげました。でも、コートを
あげませんでした。わたしの　身長(しんちょう)は　165センチです。友達(ともだち)の
身長(しんちょう)は　2メートルです。

Ⅰ　だれに　何を　もらいましたか。　だれに　何を　あげましたか。
（　　）に　①～⑤を　入れて　ください。

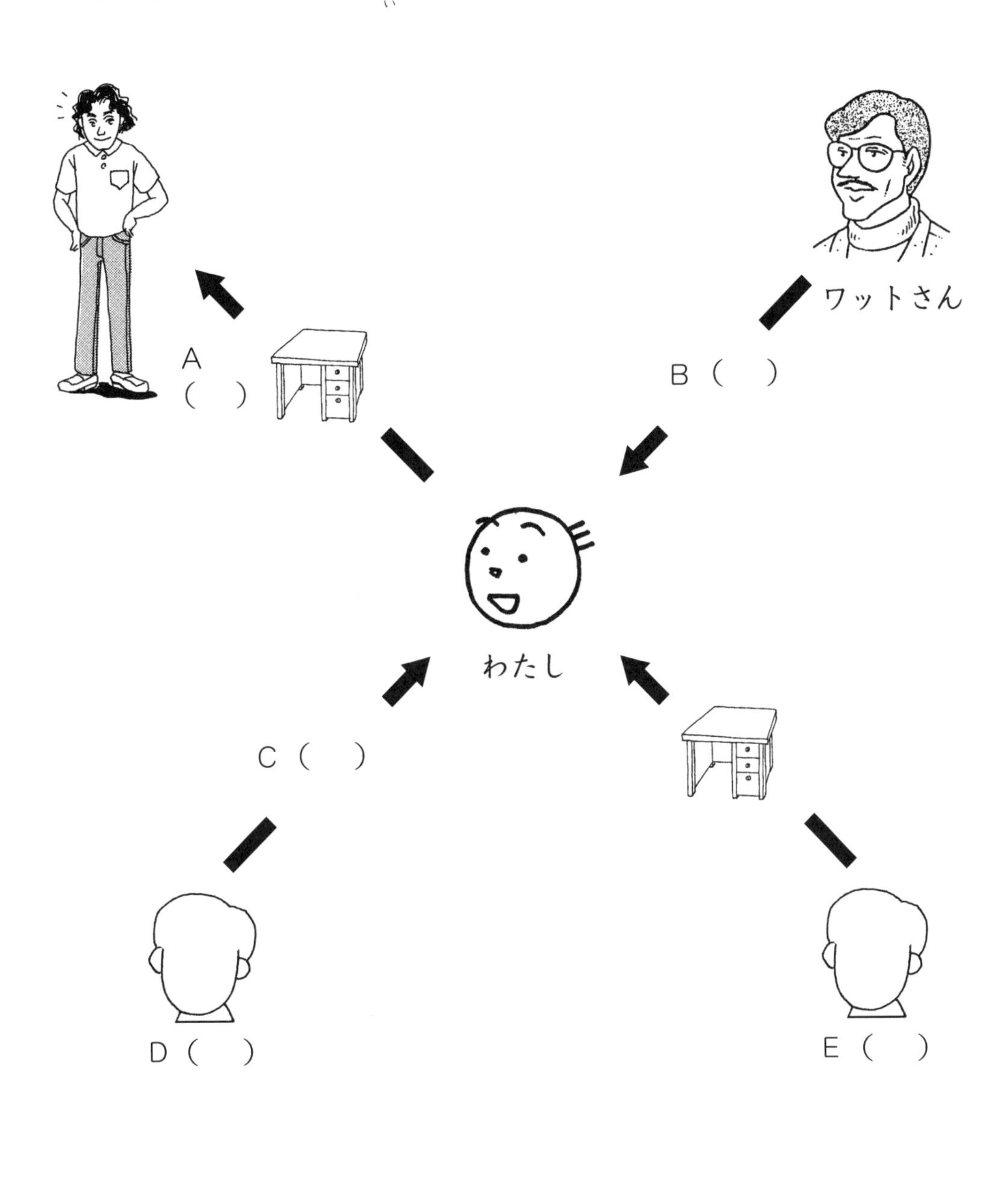

町の　生活・田舎の　生活

山川さん、　お元気ですか。

もう　12月です。　寒いですね。　町は　今　とても　にぎやかです。そして、　きれいです。　仕事は　忙しいですが、　おもしろいです。

お正月に　わたしの　うちへ　来ませんか。　いっしょに　楽しい　お正月の　パーティーを　しましょう。

12月3日　　町田　太郎

町田さん、　先週は　どうも　ありがとう　ございました。

町の　生活は　おもしろいですね。　そして、　便利です。　でも、とても　忙しいです。　食べ物も　高いです。　町の　生活は　大変ですね。

田舎の　生活は　あまり　便利じゃ　ありませんが、　静かです。山は　とても　きれいです。

今度は　わたしの　うちへ　来ませんか。　ここの　野菜は　おいしいですよ。　いっしょに　ごはんを　食べましょう。

1月7日　　山川　健

Ⅰ ①ですか、②ですか。

1．山川(やまかわ)さんは　12月(がつ)に　町田(まちだ)さんに　手紙(てがみ)を
{①もらいました　②あげました}。

2．町田(まちだ)さんは　{①暇(ひま)です　②暇(ひま)じゃ　ありません}。

3．町(まち)の　生活(せいかつ)は　おもしろいですが、
{①便利(べんり)じゃ　ありません　②忙(いそが)しいです}。

4．田舎(いなか)の　生活(せいかつ)は　{①にぎやかです　②静(しず)かです}。

5．田舎(いなか)の　野菜(やさい)は　{①高(たか)いです　②おいしいです}。

Ⅱ あなたの　生活(せいかつ)は　どうですか。はがきを　書(か)いて　ください。

第9課 **本文**

日本が　好きです

インタビュー

　ムスヤさんは　写真家です。　日本の　山の　写真を　たくさん
撮りました。

うちは　どちらですか。

——長野です。　長野で　日本の　古い　うちを　買いました。
　畳の　部屋は　とても　便利ですから、　好きです。　仕事と
　食事を　同じ　部屋で　します。　そして、　同じ　部屋で
　寝ます。

ムスヤさんの　お国は　タンザニアですね。

長野は　寒いですか。

——ええ、　とても　寒いですから、
　大きい　こたつを　買いました。
　でも、　わたしは　長野の　冬が
　好きです。　冬の　山は　きれいです。

奥さんは　日本の　方ですね。　どんな　方ですか。

——妻は　いつも　元気です。　そして、　料理が　上手です。
　毎日　妻の　おいしい　料理を　食べますから、　わたしも
　元気です。

日本の　生活は　どうですか。

——日本の　生活は　おもしろいです。　わたしは　日本が　とても
　好きです。

ありがとう　ございました。

Ⅰ　1．例(れい)1　（○）　ムスヤさんは　写真家(しゃしんか)です。

例(れい)2　（×）　ムスヤさんは　町(まち)の　写真(しゃしん)を　たくさん　撮(と)りました。

1）（　　）　ムスヤさんの　うちは　長野(ながの)です。

2）（　　）　ムスヤさんは　こたつが　あります。

3）（　　）　ムスヤさんは　長野(ながの)の　冬(ふゆ)が　嫌(きら)いです。

4）（　　）　ムスヤさんの　奥(おく)さんは　料理(りょうり)が　あまり　上手(じょうず)じゃ　ありません。

2．1）ムスヤさんは　どうして　畳(たたみ)の　部屋(へや)が　好(す)きですか。

2）ムスヤさんは　どうして　いつも　元気(げんき)ですか。

Ⅱ　日本(にほん)の　生活(せいかつ)は　どうですか。友達(ともだち)に　インタビューを　してください。

第10課 本文

美術館(びじゅつかん)

　きのう　友達(ともだち)と　「みんなの　美術館(びじゅつかん)」へ　行(い)きました。
おもしろい　絵(え)が　たくさん　ありました。

1．窓(まど)の　近(ちか)くに　男(おとこ)の　人(ひと)と　女(おんな)の　人(ひと)が　います。女(おんな)の　人(ひと)の
　うしろに　地図(ちず)が　あります。ヨーロッパの　地図(ちず)です。

2．絵(え)の　真(ま)ん中(なか)に　町(まち)が　あります。町(まち)の　左(ひだり)に　男(おとこ)の　人(ひと)が、右(みぎ)に
　女(おんな)の　人(ひと)が　います。町(まち)の　右(みぎ)の　上(うえ)に　木(き)が　あります。木(き)の
　中(なか)に　男(おとこ)の　人(ひと)と　女(おんな)の　人(ひと)が　います。
　この　女(おんな)の　人(ひと)は　男(おとこ)の　人(ひと)の　奥(おく)さんです。

3．テーブルの　上(うえ)に　果物(くだもの)や　ナイフや　グラスが　あります。
　でも、ワインは　ありません。

4．ピアノの　上(うえ)に　花(はな)が　あります。ピアノの　前(まえ)に　女(おんな)の　人(ひと)が
　います。女(おんな)の　人(ひと)の　そばに　猫(ねこ)が　います。猫(ねこ)は　目(め)が
　ありますが、女(おんな)の　人(ひと)は　目(め)が　ありません。

5．高(たか)い　山(やま)が　あります。山(やま)の　上(うえ)に　白(しろ)い　雲(くも)が　あります。
　山(やま)と　山(やま)の　間(あいだ)に　川(かわ)が　あります。川(かわ)の　近(ちか)くに　桜(さくら)の　木(き)が
　たくさん　あります。

I

お祭り(まつ)

先週(せんしゅう)　佐藤(さとう)さんの　うちで　１週間(しゅうかん)　ホームステイを　しました。佐藤(さとう)さんの　家族(かぞく)は　４人(にん)です。お父(とう)さんと　お母(かあ)さんと　８歳(さい)の　健太(けんた)ちゃんと　５歳(さい)の　みきちゃんです。

佐藤(さとう)さんの　うちの　近(ちか)くに　大(おお)きい　神社(じんじゃ)が　あります。神社(じんじゃ)の　夏(なつ)の　お祭(まつ)りは　とても　有名(ゆうめい)です。わたしは　佐藤(さとう)さんの　家族(かぞく)と　いっしょに　行(い)きました。

神社(じんじゃ)に　いろいろな　ゲームの　店(みせ)や　食(た)べ物(もの)の　店(みせ)が　ありました。健太(けんた)ちゃんは　ゲームを　３回(かい)　しました。そして、おもちゃの　車(くるま)を　２台(だい)　もらいました。わたしは　お祭(まつ)りの　Ｔ(ティー)シャツを　買(か)いました。それから　たこ焼(や)きを　食(た)べました。健太(けんた)ちゃんは　６つ(むっつ)、みきちゃんは　４つ(よっつ)、わたしは　８つ(やっつ)　食(た)べました。

お父(とう)さんは　お好(この)み焼(や)きを　２枚(まい)　食(た)べました。

それから　おみこしを　見(み)ました。お祭(まつ)りの　踊(おど)りも　見(み)ました。舞台(ぶたい)の　上(うえ)に　きれいな　女(おんな)の　人(ひと)が　１人(ひとり)と

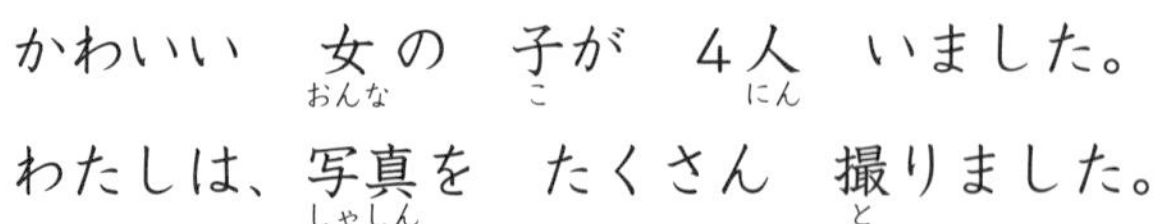

かわいい　女(おんな)の　子(こ)が　４人(にん)　いました。わたしは、写真(しゃしん)を　たくさん　撮(と)りました。

日本(にほん)の　お祭(まつ)りは　おもしろいです。そして、楽(たの)しいです。

Ⅰ　1. 例(れい)1　（ ○ ）　佐藤(さとう)さんの　うちの　近(ちか)くに　神社(じんじゃ)が　あります。

例(れい)2　（ × ）　神社(じんじゃ)は　小(ちい)さいです。

1)（　　）　わたしは　一人(ひとり)で　神社(じんじゃ)へ　行(い)きました。

2)（　　）　健太(けんた)ちゃんは　ゲームを　1回(かい)だけ　しました。

3)（　　）　お父(とう)さんは　たこ焼(や)きを　食(た)べませんでした。

4)（　　）　舞台(ぶたい)の　上(うえ)に　5人(にん)　いました。

2. 1) 健太(けんた)ちゃんは　おもちゃの　車(くるま)を　何台(なんだい)　もらいましたか。

2) みきちゃんは　たこ焼(や)きを　いくつ　食(た)べましたか。

3) お父(とう)さんは　お好(この)み焼(や)きを　何枚(なんまい)　食(た)べましたか。

4) 舞台(ぶたい)の　上(うえ)に　女(おんな)の　子(こ)が　何人(なんにん)　いましたか。

Ⅱ　あなたの　国(くに)の　お祭(まつ)りを　紹介(しょうかい)して　ください。

お祭り(まつ)に　行き(い)ましょう

A. 金魚(きんぎょ)すくいを　しませんか。　楽(たの)しいですよ。
　1（例(れい)：⑥）　100円(えん)です。
　……………………
　上手(じょうず)！　上手(じょうず)！　はい。　2（　　　）どうぞ。

B. りんごあめは　いかがですか。　おいしいですよ。
　…2（　　　）ください。
　はい、300円(えん)です。

C. お面(めん)は　いかがですか。
　おかめ、ひょっとこ、キャラクターもの、いろいろ
　ありますよ。　1（　　　）500円(えん)！

D．暑(あつ)いですね。 ジュースを　飲(の)みましょう。

　　すみません。 みかんジュース、４（　　　）　ください。

E．あ、あそこに　あひるが　いますよ。

　　いち、に、さん、し、ご。

　　５（　　　）　いますね。

F．わあ、白(しろ)い　馬(うま)が　２（　　　）　います。

　　きれいですね。

☆（　　）に　①～⑦を　入(い)れて　ください。

① 羽(わ)	② 枚(まい)	③ 杯(はい)	④ 匹(ひき)	⑤ 頭(とう)	~~⑥ 回(かい)~~	⑦ 本(ほん)

第12課　本文

沖縄旅行

わたしは　ことしの　3月に　初めて　沖縄へ　行きました。

沖縄は　九州の　南に　あります。大阪から　船で　行きました。38時間　かかりました。それから　1週間　旅行しました。毎日　いい　天気でしたが、少し　暑かったです。

いろいろな　所へ　行きました。那覇は　沖縄で　いちばん　大きい　町です。旅行者が　とても　多かったです。台湾や　東南アジアの　人も　たくさん　いました。店に　珍しい　物が　たくさん　ありました。

海は　ほんとうに　すばらしかったです。珊瑚礁に　きれいな　魚が　たくさん　いました。

時々　沖縄の　ことばが　わかりませんでしたが、人は　親切でした。沖縄の　料理は　おいしかったです。それに　沖縄の　音楽も　すてきでした。

沖縄旅行は　とても　楽しかったです。わたしは　沖縄が　大好きです。

Ⅰ　例１　（ ○ ）　沖縄は　九州の　南に　あります。

例２　（ × ）　ことしの　１月に　沖縄へ　行きました。

1)（　　）　大阪から　沖縄まで　船で　３日ぐらいです。

2)（　　）　沖縄の　３月は　涼しいです。

3)（　　）　那覇は　とても　にぎやかな　町です。

4)（　　）　沖縄の　海は　あまり　きれいじゃ　ありません。

5)（　　）　旅行は　とても　よかったです。

Ⅱ　1. 日本で　どこへ　行きましたか。　どうでしたか。

2. 旅行が　好きですか。　今まで　どこへ　行きましたか。
どこが　いちばん　よかったですか。　紹介して　ください。

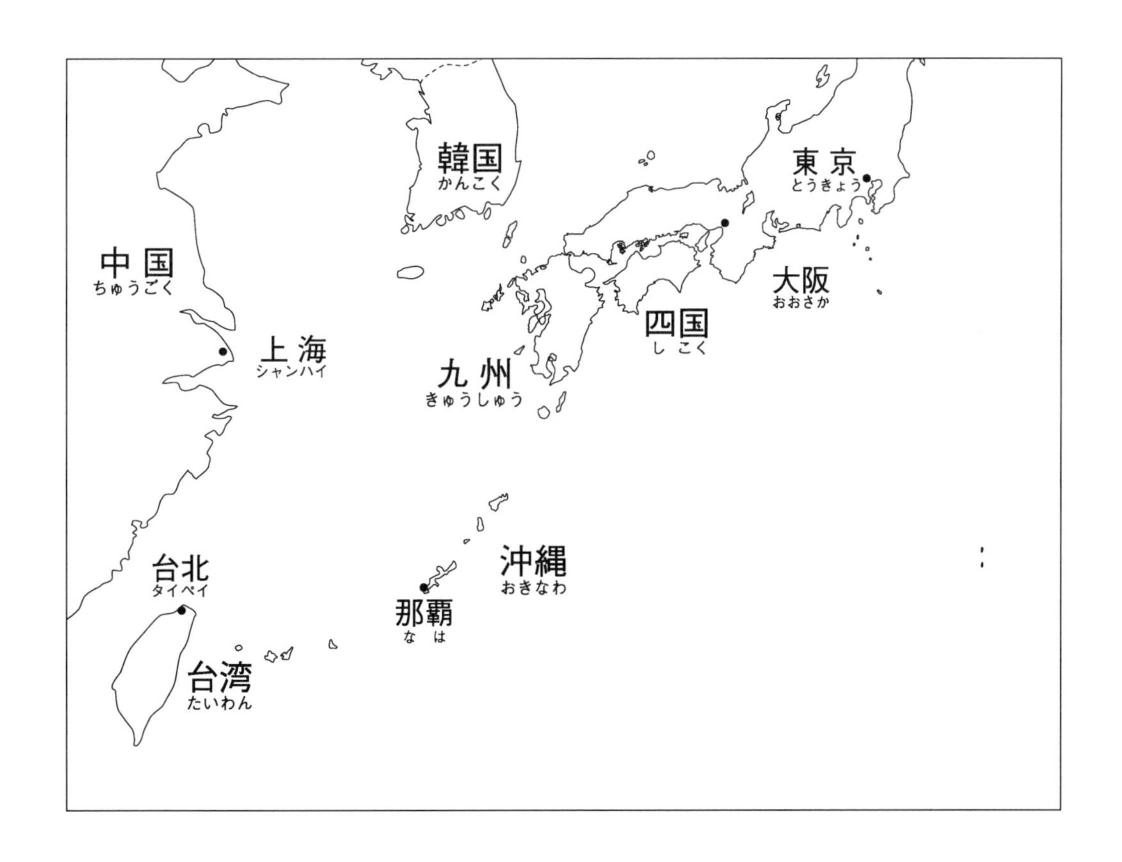

クイズ　世界(せかい)と　日本(にほん)

例(れい)　イタリアは　イギリスより　大(おお)きいです。　（ ○　× ）

1．世界(せかい)の　山(やま)で　エベレスト(チョモランマ)が　いちばん　高(たか)いです。　（ ○　× ）

2．世界(せかい)の　川(かわ)で　アマゾン川(がわ)が　いちばん　長(なが)いです。　（ ○　× ）

3．世界(せかい)で　カナダが　いちばん　大(おお)きいです。　（ ○　× ）

4．アフリカは　南(みなみ)アメリカより　大(おお)きいです。　（ ○　× ）

5．アジアと　アフリカと　ヨーロッパで　アジアが　いちばん　国(くに)が　多(おお)いです。　（ ○　× ）

6．世界(せかい)で　インドが　いちばん　人口(じんこう)が　多(おお)いです。　（ ○　× ）

7．太平洋(たいへいよう)は　大西洋(たいせいよう)より　大(おお)きいです。　（ ○　× ）

8. 大阪(おおさか)と　京都(きょうと)と　どちらが　大学(だいがく)が　多(おお)いですか。

①大阪(おおさか)　　②京都(きょうと)

9. 那覇(なは)と　札幌(さっぽろ)と　どちらが　大阪(おおさか)から　近(ちか)いですか。

①那覇(なは)　　②札幌(さっぽろ)

10. 奈良(なら)と　京都(きょうと)と　どちらが　古(ふる)いですか。

①奈良(なら)　　②京都(きょうと)

11. 大阪(おおさか)と　横浜(よこはま)と　どちらが　人口(じんこう)が　多(おお)いですか。

①大阪(おおさか)　　②横浜(よこはま)

12. どこが　いちばん　観光客(かんこうきゃく)が　多(おお)いですか。

①東京(とうきょう)　　②京都(きょうと)　　③奈良(なら)

13. どこの　桜(さくら)が　いちばん　早(はや)く　咲(さ)きますか。

①九州(きゅうしゅう)　　②四国(しこく)　　③沖縄(おきなわ)

11 ～ 13	あなたは　天才(てんさい)！
4 ～ 10	あなたは　普通(ふつう)の　人(ひと)
0 ～ 3	あなたは　宇宙人(うちゅうじん)？

第13課 本文

宝くじ

　宝くじが　当たりました。３億円です。信じられません。仕事を　やめます。そして、いろいろな　国へ　遊びに　行きたいです。うちや　車が　欲しいです。

　朝　９時に　銀行へ　３億円を　もらいに　行きました。机の　上に　新しい　一万円札が　３万枚　ありました。銀行員は　機械で　数えました。わたしは　自分で　数えたかったですから、手で　数えました。１枚、２枚、３枚……とても　疲れましたから、ちょっと　休みました。銀行の　隣の　レストランへ　食事に　行きました。そして、また　数えました。５時まで　かかりました。

　それから　警官と　いっしょに　うちへ　帰りました。３万枚の　一万円札は　とても　重かったです。３億円　ありますから、警官に　100万円　あげました。「ありがとう　ございます。あなたは　いい　人ですね。あなたは……」

・　・　・　・　・　・　・　・　・

「あなた、あなた、７時ですよ。」妻の　声です。夢が　終わりました。朝です。楽しい　夢でした。今晩も　同じ　夢を　見たいです。

Ⅰ　１（例(れい)：E）→　２（　　）→　３（　　）

→　４（　　）→　５（　　）→　６（　　）

Ⅱ　１．あなたの　国(くに)に　宝(たから)くじが　ありますか。

どんな　宝(たから)くじですか。

２．あなたは　３億円(おくえん)で　何(なに)を　したいですか。

3億円(おく えん)で

A．速(はや)い　馬(うま)
2億(おく)6,000万円(まんえん)・1頭(とう)

B．イタリアの　有名(ゆうめい)な
スポーツカー
3,200万円(まんえん)・9台(だい)

C．宇宙旅行(うちゅうりょこう)
2,000万円(まんえん)・15回(かい)

D．金(きん)
4,500円(えん)/g・66.7kg

E．東京銀座(とうきょうぎんざ)の　土地(とち)
1,404万円(まんえん)/m^2・21m^2

F．ハンバーガー
280円(えん)・1,071,428個(こ)

ビデオレター

マナさんから　ビデオレターを　もらいました。マナさんは　今(いま)大阪(おおさか)を　旅行(りょこう)して　います。

洋子(ようこ)さん、こんにちは。お元気(げんき)ですか。大阪(おおさか)は　とても　暑(あつ)いです。今(いま)　心斎橋(しんさいばし)に　います。大阪(おおさか)で　いちばん　にぎやかな　所(ところ)です。橋(はし)の　上(うえ)で　男(おとこ)の　人(ひと)が　ギターを　弾(ひ)いて　います。外国人(がいこくじん)も　います。音楽(おんがく)は　世界(せかい)の　ことばですね。

新世界(しんせかい)へ　来(き)ました。ここは　有名(ゆうめい)な　串(くし)カツ屋(や)の　前(まえ)です。人(ひと)が　たくさん　待(ま)って　います。初(はじ)めて　串(くし)カツを　食(た)べました。熱(あつ)かったですが、とても　おいしかったです。

今(いま)　通天閣(つうてんかく)から　大阪(おおさか)の　町(まち)を　見(み)て　います。あれは　大阪城(おおさかじょう)です。

写真提供：通天閣

大阪城公園です。 広いです。 子どもが 遊んで います。 木の 下で 男の 人が 寝て います。 女の 人が 犬と 散歩して います。

これから 大阪城を 見に 行きます。

じゃ、また ビデオレターを 送ります。

Ⅰ

1. マナさんは だれに ビデオレターを 送りましたか。
2. 男の 人は どこで ギターを 弾いて いますか。
3. 串カツは どうでしたか。
4. 女の 人は 大阪城公園で 何を して いますか。
5. マナさんは これから 何を しますか。

Ⅱ あなたの 国や 町を ビデオレターや 写真で 紹介して ください。

みんなの

A.

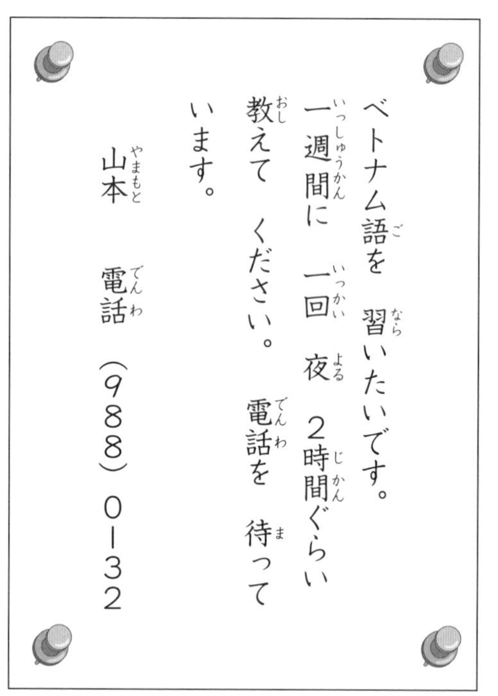

B.

うちの　ねこを
見ませんでしたか。
３歳の　白い　ねこです。
名前は　ミーです。

2丁目　小野
951-4465

C.

いっしょに　生け花を　しませんか。

月・木　10：00 ～ 12：00　　18：00 ～ 20：00
ゆっくり　教えますから、
初めての　人も　大丈夫です。
見に　来て　ください。

スーパーの　うしろ　ABCビル3階　ララ生け花教室
TEL　918-7855

伝言板(でんごんばん)

D.

げんきな　こいぬが　5ひき　います。
しろいのが　3びきと　くろいのが
2ひきです。　もらって　ください。

たかはし　でんわ　989-4431

E.

ベッドを　あげます。

取(と)りに　来(き)て　ください。
仕事(しごと)は　夜(よる)　8時(じ)までですから、
9時(じ)ごろ　電話(でんわ)を　かけて　ください。

田中(たなか)　988-2286

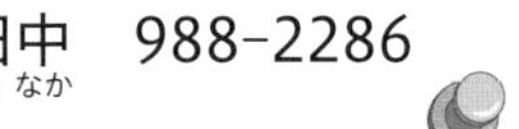

F.

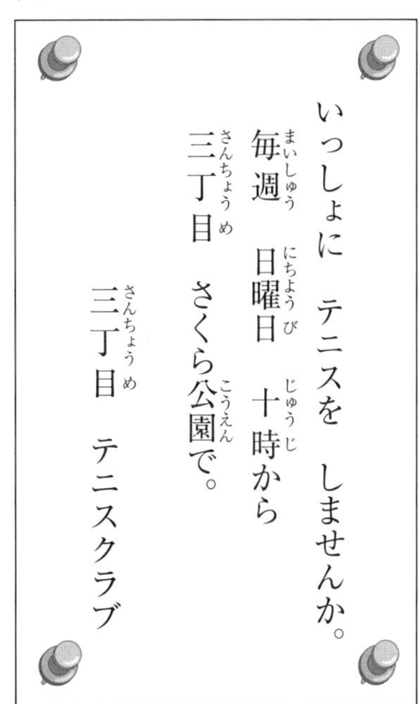
いっしょに　テニスを　しませんか。
毎週(まいしゅう)　日曜日(にちようび)　十時(じゅうじ)から
三丁目(さんちょうめ)　さくら公園(こうえん)で。
三丁目(さんちょうめ)　テニスクラブ

1．ペットが　欲(ほ)しいです。　だれに　電話(でんわ)を　かけますか。

2．ベトナムの　留学生(りゅうがくせい)です。　アルバイトを　したいです。
だれに　電話(でんわ)を　かけますか。

第15課 **本文**

高校

日本では　小学校と　中学校の　９年間は　義務教育です。 高校は　義務教育では　ありませんが、 中学生の　97％以上が　高校へ　行きます。 ３年　勉強します。 高校生の　50％ぐらいが　大学へ　行きます。

わたしは　去年　高校を　出ました。 わたしの　高校は　制服が　ありません。 髪型も　自由です。 クラブが　たくさん　あります。 わたしは　サッカーを　して　いました。 アルバイトも　しました。 高校生活は　楽しかったです。

わたしの　妹は　今　女の　生徒だけの　高校へ　行って　います。 規則が　たくさん　あります。 髪を　染めては　いけません。 ピアスや　化粧を　しては　いけません。 制服の　形を　変えては　いけません。 アルバイトを　しては　いけません。

隣の　うちの　人は　定時制高校へ　行って　います。 昼は　パン屋で　働いて　いますから、 夜　勉強して　います。 だいたい　午後５時半から　９時半までです。 ４年　勉強します。 定時制高校には　いろいろな　生徒が　います。 髪型や　化粧などの　規則は　ありません。 時々　生徒より　先生の　ほうが　若いです。 今　定時制高校は　とても　少ないです。

Ⅰ　1．わたしの　高校→A　　妹の　高校→B　　定時制高校→C

Aですか、Bですか、Cですか。

例（ C ）

1）（　　）

2）（　　）

3）（　　）

4）（　　）

5）（　　）

2．例1　（ ○ ）　わたしの　高校は　制服が　ありません。

例2　（ × ）　妹の　高校の　生徒は　アルバイトを　しても いいです。

1）（　　）　妹の　高校の　生徒は　髪の　色を　変えては いけません。

2）（　　）　わたしの　高校の　生徒は　アルバイトを　しても いいです。

3）（　　）　定時制高校は　日本に　たくさん　あります。

Ⅱ　1．あなたの　国の　小学校、中学校、高校は　何年　勉強しますか。

2．あなたの　高校を　紹介して　ください。

日本の　高校生に　聞きました

1. 学校は　楽しいですか。

- とても　楽しいです
- まあ　楽しいです
- あまり　楽しくないです
- 全然　楽しくないです
- わかりません・無回答

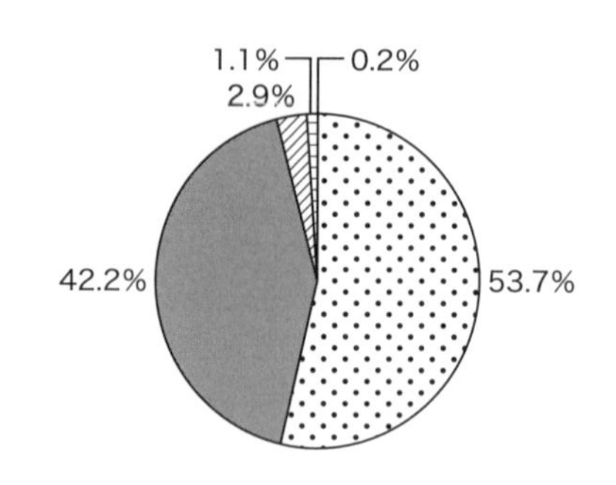

2. ふだん　学校の　外で　1日に　どのくらい　勉強しますか。

- ほとんど　勉強しません
- 30分ぐらい
- 1時間ぐらい
- 2時間ぐらい
- 3時間ぐらい
- 4時間ぐらい
- 5時間以上

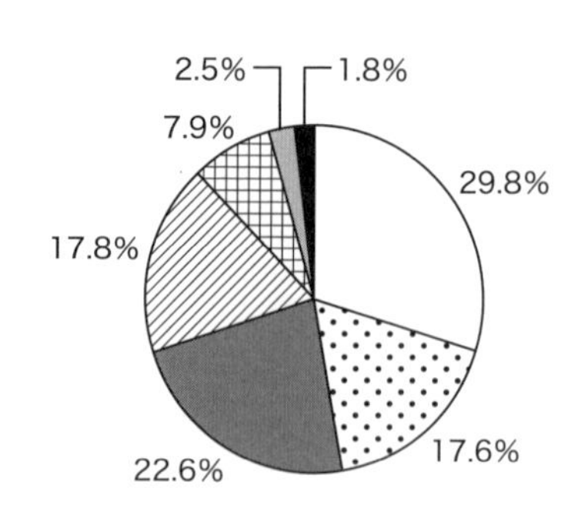

3. 学校で　どんな　クラブに　入って　いますか。

- 体育系に　入って　います
- 文化系に　入って　います
- 入って　いません
- わかりません・無回答

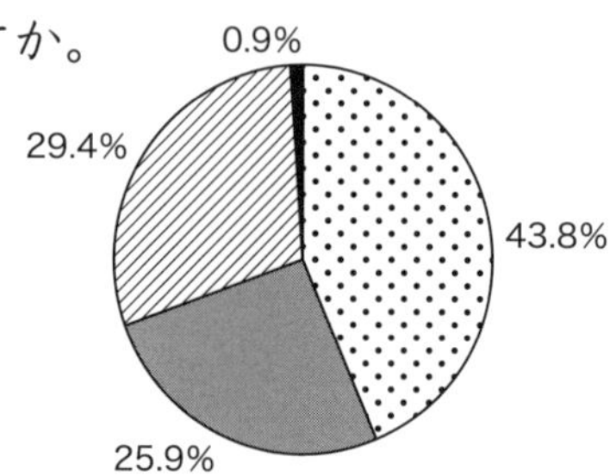

4. 将来　留学したいですか。

- 留学したいです
- どちらかと　いえば　留学したいです
- どちらかと　いえば　留学したくないです
- 留学したくないです
- わかりません・無回答

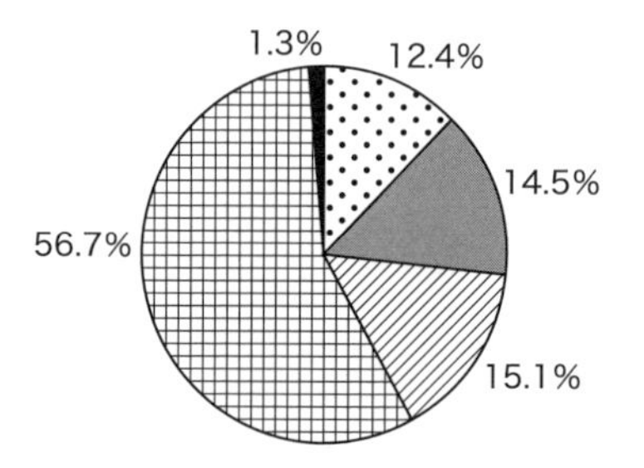

（NHK「中学生・高校生の生活と意識調査・2012」より）

例（○）高校生　100人の　中で　95人は　学校生活が好きです。

1.（　）高校生の　約　30％は　ふだん　学校の　外で勉強しません。

2.（　）高校生は　体育系クラブより　文化系クラブの　ほうが好きです。

3.（　）高校生の　約　70％は　将来　外国で勉強したいです。

日本の　学校制度

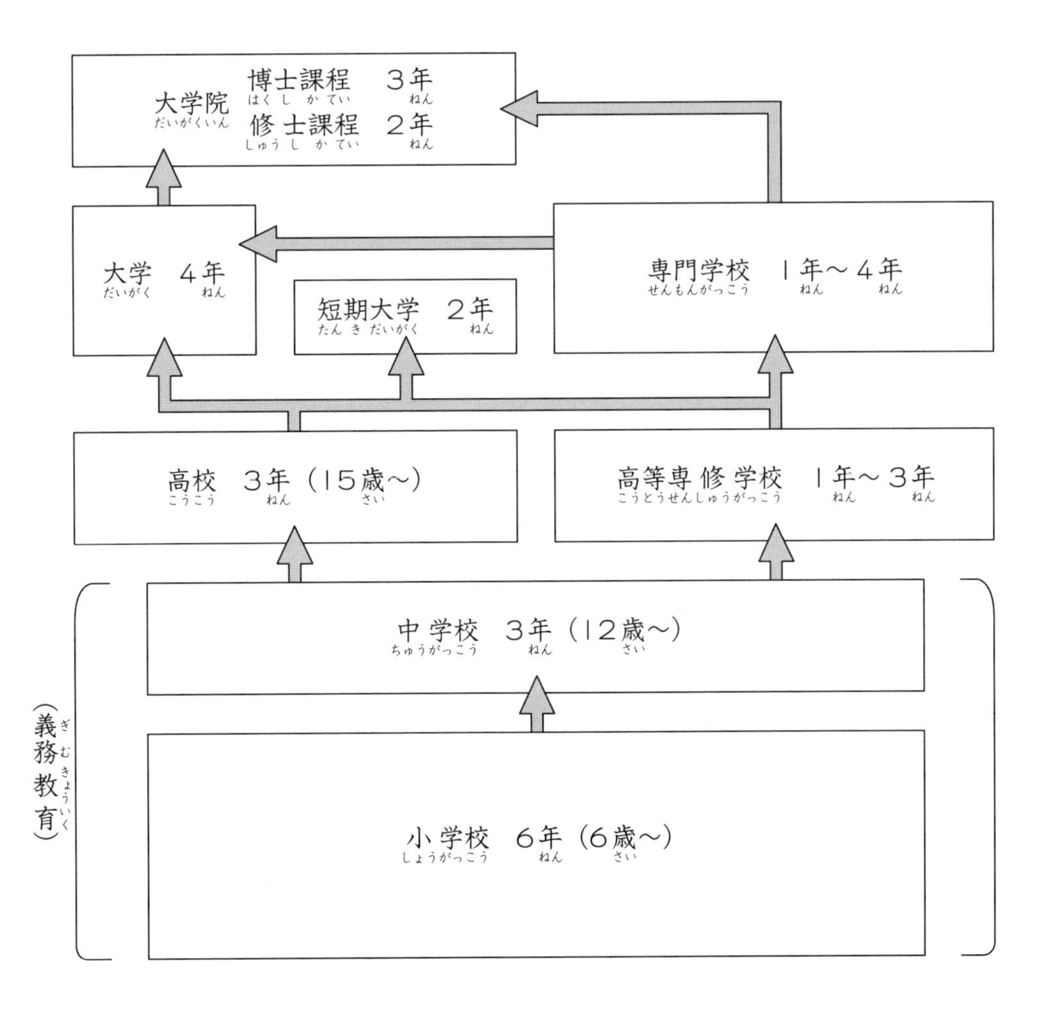

第16課　本文

想像(そうぞう)の　動物(どうぶつ)

1．これは　体(からだ)が　とても　長(なが)くて、足(あし)が　4本(ほん)　あります。水(みず)の　中(なか)に　住(す)んで　います。雨(あめ)や　風(かぜ)の　神様(かみさま)です。これは　ヨーロッパで　悪(わる)い　動物(どうぶつ)ですが、日本(にほん)や　中国(ちゅうごく)で　いい　動物(どうぶつ)です。

2．この　動物(どうぶつ)は　川(かわ)に　住(す)んで　います。背(せ)が　低(ひく)くて、1メートルぐらいです。体(からだ)は　緑色(みどりいろ)です。頭(あたま)の　上(うえ)に　皿(さら)が　あります。日本(にほん)に　この　動物(どうぶつ)の　名前(なまえ)の　食(た)べ物(もの)や　店(みせ)や　町(まち)などが　あります。

3．日本(にほん)と　インドに　います。山(やま)の　奥(おく)に　住(す)んで　います。顔(かお)が　赤(あか)くて、鼻(はな)が　高(たか)いです。いつも　扇(おうぎ)を　持(も)って　います。

4．ヨーロッパと　中国(ちゅうごく)と　日本(にほん)の　海(うみ)に　住(す)んで　います。体(からだ)の　半分(はんぶん)は　魚(さかな)です。ヨーロッパのは　髪(かみ)が　長(なが)くて、若(わか)くて、きれいです。そして、歌(うた)が　上手(じょうず)です。

5．これは　ギリシャに　住(す)んで　います。体(からだ)の　上(うえ)の　半分(はんぶん)は　人(ひと)で、下(した)の　半分(はんぶん)は　馬(うま)です。この　動物(どうぶつ)は　女(おんな)の　人(ひと)が　好(す)きです。ギリシャ人(じん)は　この　動物(どうぶつ)が　嫌(きら)いです。

Ⅰ

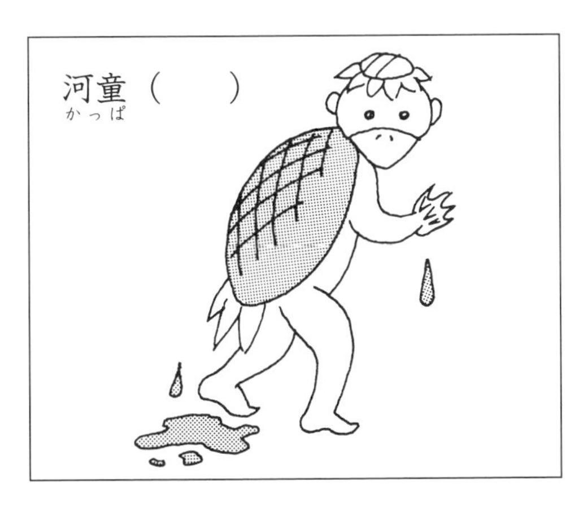

Ⅱ　あなたの　国(くに)に　想像(そうぞう)の　動物(どうぶつ)が　いますか。

絵(え)を　かいて、紹介(しょうかい)して　ください。

第17課 本文

江戸時代(えどじだい)

　江戸時代(えどじだい)は　1603年(ねん)から　1868年(ねん)までで、約(やく)　260年(ねん)ありました。　この　時代(じだい)は　いろいろな　規則(きそく)が　ありました。

　江戸時代(えどじだい)の　人(ひと)は　外国(がいこく)へ　行(い)っては　いけませんでした。　そして、外国(がいこく)の　船(ふね)は　日本(にほん)に　入(はい)っては　いけませんでした。　長崎(ながさき)だけ　入(はい)っても　よかったです。

　また　キリスト教(きょう)を　信(しん)じては　いけませんでした。　みんな　お寺(てら)に　名前(なまえ)を　登録(とうろく)しなければ　なりませんでした。　それから、　牛肉(ぎゅうにく)と　豚肉(ぶたにく)を　食(た)べては　いけませんでした。

　江戸時代(えどじだい)は　藩(はん)が　ありました。　藩(はん)に　大名(だいみょう)が　いました。　大名(だいみょう)は　自分(じぶん)の　藩(はん)と　江戸(えど)に　うちが　ありました。　そして、　藩(はん)に　1年(ねん)、　江戸(えど)に　1年(ねん)、　住(す)まなければ　なりませんでした。　奥(おく)さんと　子(こ)どもは　江戸(えど)に　住(す)んで　いました。　江戸(えど)まで　歩(ある)いて　行(い)かなければ　なりませんでしたから、　とても　大変(たいへん)でした。

　また　江戸時代(えどじだい)の　長男(ちょうなん)は　お父(とう)さんの　仕事(しごと)を　しなければ　なりませんでした。

　いろいろ　規則(きそく)が　ありましたが、　平和(へいわ)な　時代(じだい)でした。

日本(にほん)の　時代(じだい)

	800	900	1000	1100	1200	1300	
奈良(なら)	平安(へいあん)				鎌倉(かまくら)		南北朝(なんぼくちょう)

Ⅰ　しても　いいです…（〇）

　しては　いけません…（×）

1.（　）中国(ちゅうごく)へ　勉強(べんきょう)に　行(い)きます。

2.（　）キリスト教(きょう)を　信(しん)じます。

3.（　）魚(さかな)を　食(た)べます。

4.（　）大名(だいみょう)は　好(す)きな　所(ところ)に　家族(かぞく)と　住(す)みます。

5.（　）長男(ちょうなん)は　好(す)きな　仕事(しごと)を　します。

Ⅱ　1600年(ねん)ごろ　あなたの　国(くに)は　どうでしたか。

長崎(ながさき)の　出島(でじま)

江戸時代(えどじだい)の　身分(みぶん)

江戸時代(えどじだい)は　主(おも)な　身分(みぶん)が　4つ(よっつ)　ありました。　武士(ぶし)、　農民(のうみん)、　職人(しょくにん)、　商人(しょうにん)です。

1400	1500	1600	1700	1800	1900		2000
室町(むろまち)	(戦国(せんごく))	安土桃山(あづちももやま)	江戸(えど)	明治(めいじ)	大正(たいしょう)	昭和(しょうわ)	平成(へいせい)

個人旅行(こじんりょこう)？　団体旅行(だんたいりょこう)？

まゆみさんと　はるかさんの　趣味(しゅみ)は　外国(がいこく)を　旅行(りょこう)する　ことです。でも、旅行(りょこう)の　し方(かた)が　違(ちが)います。２人(ふたり)の　意見(いけん)を　聞(き)いて　ください。

個人旅行(こじんりょこう)　はるかさん	団体旅行(だんたいりょこう)　まゆみさん
自分(じぶん)で　ビザや　パスポートを　取(と)りに　行(い)きます。スケジュールを　自分(じぶん)で　作(つく)って、好(す)きな　ホテルを　予約(よやく)します。	旅行(りょこう)に　行(い)く　まえに、自分(じぶん)で　何(なに)も　しなくても　いいです。旅行会社(りょこうがいしゃ)の　人(ひと)が　します。
好(す)きな　所(ところ)へ　自由(じゆう)に　行(い)って、ゆっくり　見(み)る　ことが　できます。	旅行会社(りょこうがいしゃ)の　人(ひと)は　おもしろくて、有名(ゆうめい)な　所(ところ)を　よく　知(し)って　います。１日(にち)に　たくさん　見(み)る　ことが　できます。
自分(じぶん)で　荷物(にもつ)を　持(も)たなければ　なりませんが、すぐ　次(つぎ)の　所(ところ)へ　行(い)く　ことが　できます。	重(おも)い　荷物(にもつ)を　持(も)たなくても　いいです。旅行会社(りょこうがいしゃ)の　人(ひと)が　集(あつ)めて、持(も)って　行(い)きます。
外国語(がいこくご)の　勉強(べんきょう)が　たくさん　できます。外国人(がいこくじん)の　友達(ともだち)を　作(つく)る　ことが　できます。	外国語(がいこくご)が　わからなくても　いいです。日本語(にほんご)で　説明(せつめい)を　聞(き)く　ことが　できます。

Ⅰ 下(した)の 1.～5. の 人(ひと)は 個人旅行(こじんりょこう)と 団体旅行(だんたいりょこう)と どちらの 旅行(りょこう)が いいですか。 （ ）に A（個人旅行(こじんりょこう)）、 B（団体旅行(だんたいりょこう)）を 書(か)いて ください。

1．わたしは 外国(がいこく)に 友達(ともだち)が います。
友達(ともだち)に 会(あ)いに 行(い)きたいです。…………………………（ ）

2．わたしは 毎日(まいにち) 忙(いそが)しいです。…………………………（ ）

3．わたしは 英語(えいご)を 話(はな)す ことが できません。…………（ ）

4．わたしは 好(す)きな 所(ところ)だけ 見(み)たいです。…………………（ ）

5．わたしは 重(おも)い 荷物(にもつ)を 持(も)ちたくないです。……………（ ）

Ⅱ あなたは どちらの 旅行(りょこう)が いいですか。 どうしてですか。

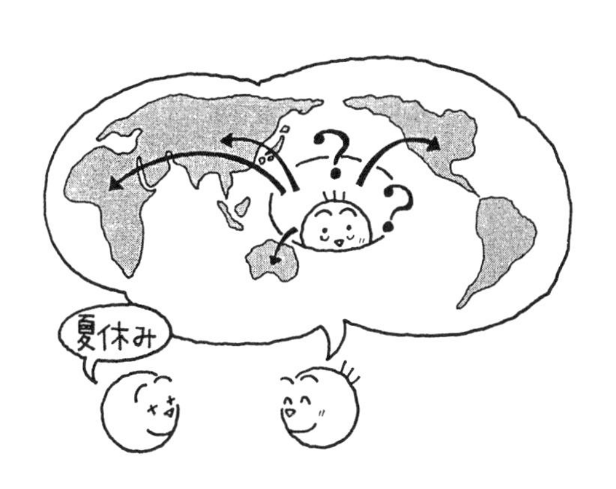

第18課 プラスアルファ

ここは　どこですか

A

ここに　入る(はい)　まえに、　お金(かね)を　払(はら)わなければ　なりません。
ここでは　遠(とお)い　国(くに)の　いろいろな　人(ひと)の　生活(せいかつ)を　見(み)る
ことが　できます。　でも、　隣(となり)の　人(ひと)と　話(はな)さないで　ください。
暗(くら)いですから、　寝(ね)ても　いいですが、　静(しず)かに　寝(ね)て　ください。

B

ここでは　人(ひと)が　たくさん　待(ま)って　います。　でも、　元気(げんき)な
人(ひと)は　少(すく)ないです。　ロビーで　ケータイを　使(つか)っても　いいですが、
部屋(へや)で　使(つか)っては　いけません。　ここに　入(はい)る　まえに、お金(かね)を
払(はら)わなくても　いいですが、　出(で)る　まえに、　払(はら)わなければ
なりません。　時々(ときどき)　とても　高(たか)いです。

C

ここに　入(はい)る　まえに、　服(ふく)を　脱(ぬ)いで　ください。　温(あたた)かくて、気持(きも)ちが　いいですが、　絶対(ぜったい)に　寝(ね)ないで　ください。　時々(ときどき)泳(およ)ぐ　ことが　できます。

D

ここでは　本(ほん)を　読(よ)む　ことや　寝(ね)る　ことが　できますが、たばこを　吸(す)う　ことが　できません。　大(おお)きい　声(こえ)で　話(はな)してはいけません。　危(あぶ)ないですから、　窓(まど)から　手(て)や　顔(かお)を　出(だ)さないでください。　小(ちい)さい　子(こ)どもは　お金(かね)を　払(はら)わなくても　いいです。

☆A～Dは　下(した)の　①～⑥の　どこですか。

①図書館(としょかん)	②病院(びょういん)	③電車(でんしゃ)
④温泉(おんせん)	⑤プール	⑥映画館(えいがかん)

A（　　）　B（　　）　C（　　）　D（　　）

第19課 本文

相撲

相撲を　見た　ことが　ありますか。 相撲は　日本の　古い　スポーツです。

日本では　1300年ぐらいまえから　相撲を　して　いました。1年に　1回　7月に　天皇の　前で　相撲を　しました。

800年ぐらいまえに、相撲は　侍の　スポーツに　なりました。侍は　強く　なりたかったですから、よく　相撲の　練習を　しました。

江戸時代に　相撲は　プロスポーツに　なりました。毎年　2回　たくさんの　人が　相撲を　見に　行きました。 みんな　ゆっくり　相撲を　見ました。 ごはんを　食べたり、お茶を　飲んだり　しても　よかったです。 有名な　力士は　落語や　歌舞伎の　主人公に　なりました。

今　相撲は　1年に　6回　あります。 東京で　3回、それから　大阪と　名古屋と　福岡です。

相撲は　おもしろい　スポーツです。 いろいろな　力士が　います。体が　大きい　人や　小さい　人、モンゴルや　ロシアなど　いろいろな　国の　人も　います。 時々　小さい　力士が　大きい　力士に　勝ちます。

今　外国の　テレビで　相撲を　見る　ことが　できます。 時々　日本から　外国へ　力士が　行って、相撲を　します。

Ⅰ　1．日本(にほん)では　いつから　相撲(すもう)を　始(はじ)めましたか。

2．いつ　相撲(すもう)は　プロスポーツに　なりましたか。

3．今(いま)　相撲(すもう)は　1年(ねん)に　何回(なんかい)　見(み)る　ことが　できますか。

4．外国(がいこく)の　人(ひと)も　力士(りきし)に　なる　ことが　できますか。

Ⅱ　1．あなたは　相撲(すもう)を　見(み)た　ことが　ありますか。
どうでしたか。

2．あなたの　国(くに)に　古(ふる)い　スポーツが　ありますか。
どんな　スポーツですか。

第20課　本文

伊能忠敬(いのうただたか)の　一生(いっしょう)

年	
1745年(ねん)	千葉県(ちばけん)で　生(う)まれた。 頭(あたま)がよくて、勉強(べんきょう)が　好(す)きだった。
1762年(ねん)	結婚(けっこん)して、奥(おく)さんの　うちの　名前(なまえ)（伊能(いのう)）に　なった。 奥(おく)さんの　うちは　酒屋(さかや)と　米屋(こめや)を　して　いた。 忠敬(ただたか)が　来(き)てから、店(みせ)は　とても　大(おお)きく　なった。 自分(じぶん)で　測量(そくりょう)の　勉強(べんきょう)を　した。
1782年(ねん)	「天明(てんめい)の　大飢饉(だいききん)」 お金(かね)を　出(だ)して、村(むら)の　人(ひと)を　助(たす)けた。
1795年(ねん)	仕事(しごと)を　やめて、江戸(えど)へ　行(い)った。 江戸(えど)で　有名(ゆうめい)な　先生(せんせい)に　天文学(てんもんがく)を　習(なら)った。
1800年(ねん) 〜 1816年(ねん)	北海道(ほっかいどう)を　測量(そくりょう)して、地図(ちず)を　かいた。 日本中(にほんじゅう)を　歩(ある)いて　測量(そくりょう)した。
1818年(ねん)	亡(な)くなった。
1821年(ねん)	日本(にほん)の　地図(ちず)が　できた。
	・・・・・・・・・・・
1995年(ねん)	「切手(きって)の　人(ひと)」に　なった。

Ⅰ

1995年発行の切手

資料協力：
一財・切手の博物館（東京・目白）

これは　（例：80円切手）です。　この　人は
（①　　　　　　　）です。　日本人は　みんな　この　人を　知って
います。　彼は　江戸時代に　日本の　地図を　作りました。　歩いて
測量しました。　とても　正確な　地図です。

（②　　　　　　　）歳まで　うちの　仕事を　して　いました。　仕事を
やめてから、（③　　　　　　　）へ　行って、（④　　　　　　　）の
勉強を　始めました。

1800年に　初めて　北海道へ　測量に　行きました。それから
（⑤　　　　　　　）年までに　全部で　9回　測量に　行きました。
北海道から　鹿児島まで　行きました。

73歳で　亡くなりました。　1821年に　弟子たちが　地図を
完成しました。

Ⅱ　1．あなたの　国の　切手には　どんな　デザインが　ありますか。

2．有名な　人が　「切手の　人」に　なって　いますか。　だれですか。
どんな　人ですか。

第20課 プラスアルファ

クイズ　地図(ちず)の　記号(きごう)

地図(ちず)を　見(み)て　います。いろいろな　記号(きごう)が　あります。

1．神社(じんじゃ)へ　行(い)きたいです。どの　記号(きごう)ですか。

①　　　②　　　③

2．「文」は　何(なん)ですか。

①　美術館(びじゅつかん)　　②　学校(がっこう)　　③　図書館(としょかん)

3．温泉(おんせん)に　入(はい)りたいです。どの　記号(きごう)ですか。

①　　　②　　　③

4．この　地図(ちず)は　　が　たくさん　ありますね。何(なん)ですか。

①　市役所(しやくしょ)　　②　老人(ろうじん)ホーム　　③　病院(びょういん)

5．　これは　非常口(ひじょうぐち)ですか。ちょっと　違(ちが)いますね。何(なん)ですか。

①　緊急避難場所(きんきゅうひなんばしょ)　　②　駅(えき)　　③　トイレ

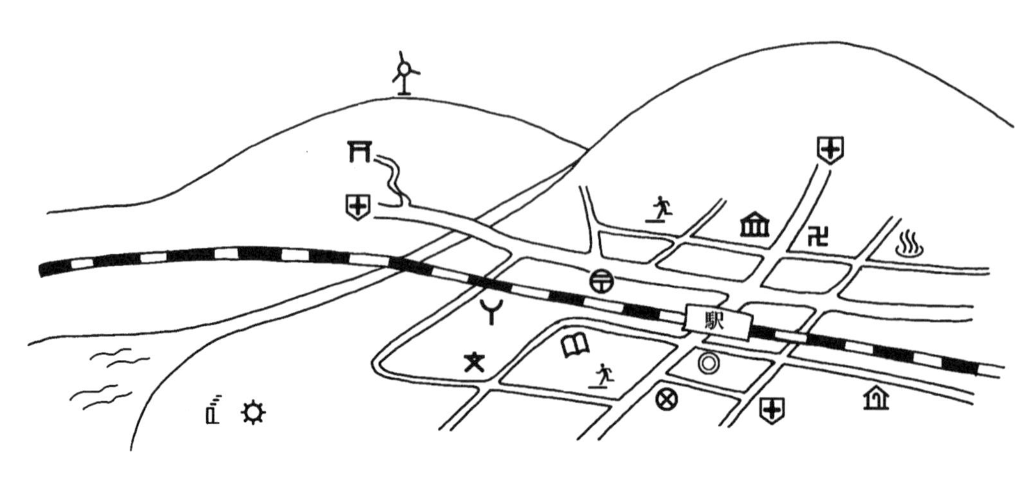

クイズ　日本（にほん）の　地理（ちり）

1．日本（にほん）は　島国（しまぐに）です。　島（しま）が　いくつ　ありますか。

①　6,800 ぐらい　　②　3,000 ぐらい　　③　1,500 ぐらい

2．日本（にほん）の　海岸線（かいがんせん）は　29,751 キロメートル　あります。　下（した）の　3つ（みっ）の　国（くに）で、どこが　いちばん　海岸線（かいがんせん）が　長（なが）いですか。

①　カナダ　　②　インドネシア　　③　日本（にほん）

3．日本（にほん）は　山（やま）が　多（おお）いです。　何　%（なんパーセント）　ぐらいですか。

①　50%　　②　70%　　③　90%

4．北海道（ほっかいどう）と　九州（きゅうしゅう）と　四国（しこく）と　どこが　いちばん　大（おお）きいですか。

①　北海道（ほっかいどう）　　②　九州（きゅうしゅう）　　③　四国（しこく）

5．富士山（ふじさん）は　どこに　ありますか。

①　a　　②　b　　③　c

第21課 本文

雨　降って、地　固まる

[相談] 去年　結婚しました。 妻は　働いて　いますから、わたしも
料理や　掃除を　して　います。 月曜日と　木曜日は　ごみの　日です。
ごみは　いつも　わたしが　捨てます。 先週の　月曜日の　晩　妻は
ごみを　見て、「きょうは　ごみの　日だったけど。」と　言いました。
「僕は　『きょうは　急ぐから、君、捨てて。』と　言ったよ。」「いいえ、
言わなかった。 わたしは　聞かなかった。」「言った。」「言わなかった。」
どちらも　自分が　正しいと　思いました。 妻は　それから　わたしと
話しません。 わたしの　顔も　見ません。 わたしは　妻と
仲直りしたいです。 中川先生、アドバイスを　お願いします。

（会社員　28歳）

[回答] まず　花を　買って、帰って　ください。そして、あなたから
「ごめんね。」と　言って　ください。 奥さんも　きっと　あなたと
仲直りしたいと　思って　いますよ。 結婚生活は　楽しい　ことだけでは
ありません。 時々　けんかに　なります。 顔を　見たくないと　思ったり、
話したくないと　思ったり　します。 でも、あなたは　奥さんと
いっしょに　いたいでしょう？ 奥さんも　同じだと　思いますよ。
夫婦は　けんかして、仲直りして、また　けんかして、仲直りして、
だんだん　いい　夫婦に　なります。「雨　降って、地　固まる」と
言いますね。

（中川　花子）

Ⅰ　1．だれが　ごみを　捨(す)てましたか。

①妻(つま)が　捨(す)てました。

②夫(おっと)が　捨(す)てました。

③どちらも　捨(す)てませんでした。

2．中川先生(なかがわせんせい)は　何(なん)と　言(い)いましたか。

①夫(おっと)は　いつも　花(はな)を　買(か)わなければ　ならない。

②夫婦(ふうふ)は　けんかを　しては　いけない。

③夫婦(ふうふ)は　けんかを　しても　いいから、すぐ　仲直(なかなお)りしなければ　ならない。

3．「雨(あめ)　降(ふ)って、地(じ)　固(かた)まる」の　意味(いみ)は　どれだと　思(おも)いますか。

①けんかして、仲直(なかなお)りして、また　けんかして、仲直(なかなお)りする。

②けんかして、仲直(なかなお)りして、夫婦(ふうふ)の　愛(あい)は　強(つよ)く　なる。

③けんかして、仲直(なかなお)りして、夫婦(ふうふ)は　うちの　仕事(しごと)を　いっしょに　する。

Ⅱ　あなたは　どんな　アドバイスを　しますか。

第21課 プラスアルファ

結婚!!??

結婚アンケート

1. 結婚したいと　思いますか。

　①結婚したい　　②結婚したくない

2. どうして　そう　思いますか。

　①の　人

　　a. 好きな　人と　いつも　いっしょに　いたいから
　　b. 自分の　家族を　持ちたいから
　　c. 一人の　生活は　寂しいから
　　d. その他（　　　　　　　　　　　　　）

　②の　人

　　a. 独身の　ほうが　自由だから
　　b. 生活が　大変だから
　　c. 会社で　働いて、うちの　仕事も　しなければ　ならないから
　　d. その他（　　　　　　　　　　　　　）

①の　人に　聞きます

3. 結婚は　何歳ぐらいが　いいと　思いますか。

　（　　）歳ぐらい

4. 結婚相手の　条件は　何が　大切だと　思いますか。

　①性格　②年齢　③趣味　④顔　⑤学歴　⑥仕事　⑦お金

5. 子どもが　欲しいですか。

　①欲しい　→　何人ぐらい　欲しいですか。

　　a. 1人　b. 2人　c. 3人　d. たくさん

　②欲しくない

結婚は　大変？

◎初めて　会ってから、結婚まで

・どこで　どうやって　会いましたか。

会社、仕事…29.3％　　友達・兄弟・姉妹の　紹介…29.7％

学校…11.9％

・何歳で　結婚しましたか。

男の　人：29.8歳　　女の　人：28.5歳

・結婚まで　何年　かかりましたか。

4.26年

（第14回出生動向基本調査　結婚と出産に関する全国調査（2010年）　国立社会保障・人口問題研究所）

◎独身・結婚・離婚

・何％　結婚して　いませんか。

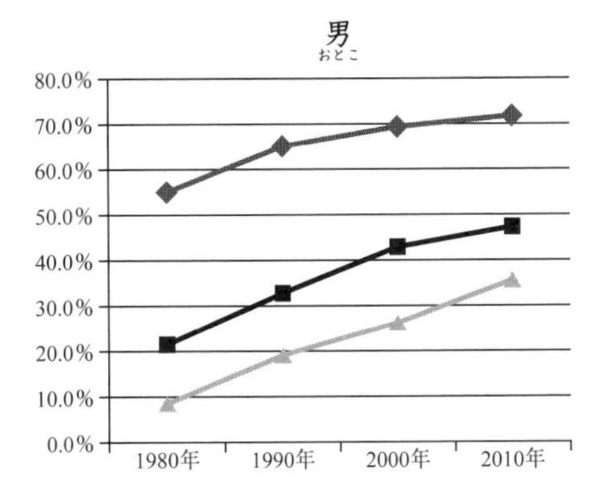

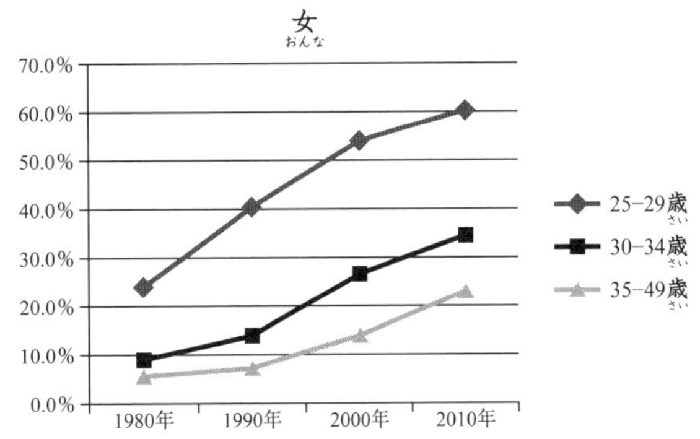

（総務省統計局「平成22年国勢調査」）

・1年に　何組　結婚しましたか、離婚しましたか。

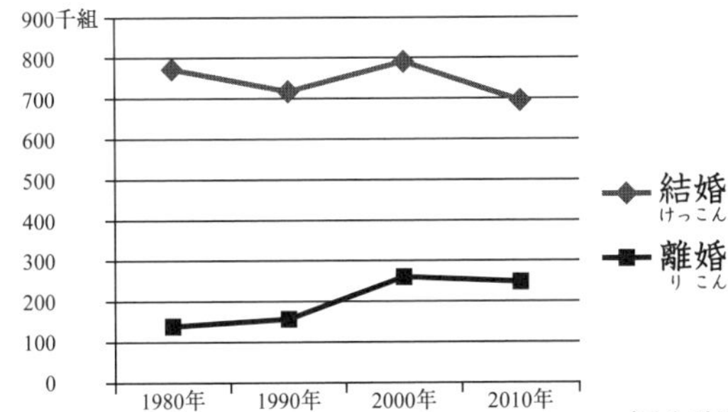

（厚生労働省「人口動態調査」2010年）

▶ **第22課** **本文**

テレビ放送

　日本で　初めて　テレビ放送を　した　日は　1953年2月1日です。その　とき　東京に　あった　テレビは　1,200～1,500台でした。サラリーマンの　1か月の　給料は　1万5,000円ぐらいでしたが、テレビは　20万円ぐらいでした。ですから、たくさんの　人が　駅の前や　デパートや　公園に　ある　テレビを　見ました。

　テレビを　初めて　見た　人は　びっくりして、「この　ラジオは　見る　ことが　できる。」と　言いました。テレビの　中に　人が　いると思った　人も　たくさん　いました。放送は　1日に　4時間だけでした。

　1959年4月に　皇太子の　結婚式が　ありました。結婚式を見たい　人は　テレビを　買いました。日本の　テレビは　4月に200万台に　なりました。

　1964年10月に　アジアで　初めての　オリンピックが　東京でありました。たくさんの　人が　カラーテレビを　買いました。

　今は　一人で　パソコンや　ケータイで　テレビ番組を　見たり、おふろで　テレビを　見たり　する　ことが　できます。見たい番組を　見たい　時間に　見る　ことも　できます。

　これから　テレビは　どう　なると　思いますか。

Ⅰ　1.

(例(れい)：1953) 年(ねん)	テレビ放送(ほうそう)を　始(はじ)めた。
1959年(ねん)	(①　　　) が　あった。 テレビは (②　　　) 台(だい)に　なった。
1964年(ねん)	(③　　　) が　あった。 カラーテレビが　多(おお)く　なった。

2. 例(れい)1　(○)　1953年(ねん)に　初(はじ)めて　テレビ放送(ほうそう)を　しました。

例(れい)2　(×)　1953年(ねん)に　日本(にほん)に　テレビが　1,500台(だい)　ありました。

1)(　　)　1950年(ねん)ごろの　サラリーマンは　1年(ねん)の　給料(きゅうりょう)で　テレビを　買(か)う　ことが　できました。

2)(　　)　初(はじ)めて　テレビを　見(み)た　人(ひと)は　新(あたら)しい　ラジオだと　思(おも)いました。

3)(　　)　今(いま)は　家族(かぞく)は　みんな　別々(べつべつ)に　好(す)きな　番組(ばんぐみ)を　見(み)る　ことが　できます。

Ⅱ　1. 毎週(まいしゅう)　見(み)る　テレビ番組(ばんぐみ)が　ありますか。

2. これから　テレビは　どう　なると　思(おも)いますか。

第22課　プラスアルファ

テレビ番組(ばんぐみ)

	3　みんなテレビ	9　おはようテレビ	14　まいどテレビ
18	00[多]ニュース600 ▽[天]	00[二][N] 30　東京案内　スカイツリー	00　世界の山「キリマンジャロ」アフリカの霊峰
19	00[二]みんなニュース 30[字]現代の視点 地球温暖化の影響の行く末	00[字]親子で楽しむ温泉旅行　子ザルとともにいい湯だな　㊙レストラン今食べないと	00　ビックリ大変身 ゴミ屋敷がおしゃれカフェに 45　今日のニュース ▽[天]
20	00[字]みんなスペシャル「世界遺産富士山の不思議」日本の霊峰の魅力を探る	00[字]ドラマ「こんばんは」(終) 水野明美　澤田米　牧野豊 50[字][N][天]	00[字]クイズでがってん 「江戸の生活」あっと驚くエコの秘訣満載
21	00[二]今日の出来事 30　みんなの時間 若者力が世界を救う ◇[N]	00[二]川上彰のインタビュー「奇跡の生還　中浜万次郎氏」▽一言英語ワット	00[S]映画　宮崎駿スペシャル「千と千尋の神隠し」2001スタジオジブリ制作 声の出演　柊瑠美 入野自由　夏木マリ 中村彰男 22.54　歴史の道
22	00[字]現代の医療「みんなこうなる」あなたはその時… ▽[N]▽[天]	00[S]スポーツアワー FIFAサッカー「日本代表対オランダ代表」解説・中田（中断[N]あり）	
23	00[二]スポーツハイライト		00　ニューススタンド

☆今晩(こんばん)　テレビを　見(み)る　時間(じかん)が　ありません。

何時(なんじ)から　何(なん)チャンネルを　予約(よやく)しますか。

A.

日本(にほん)と　オランダの　サッカーを　見(み)たいです。

メルさん（　　：　　）から（　　）チャンネル

B.

富士山(ふじさん)の　特別番組(とくべつばんぐみ)を　見(み)たいです。

アンさん（　　：　　）から（　　）チャンネル

東京スカイツリーと　法隆寺五重塔

東京スカイツリーは　2012年に　できました。今　世界で　いちばん　高い　電波塔で、634メートルです。350メートルと450メートルの　高さに　ある　展望台から東京の　町や　富士山を　見る　ことが　できます。

奈良の　法隆寺は　世界で　いちばん　古い木の　建物で、五重塔は　地震や　風に　とても強いです。ですから、東京スカイツリーは五重塔の　構造を　参考に　作りました。

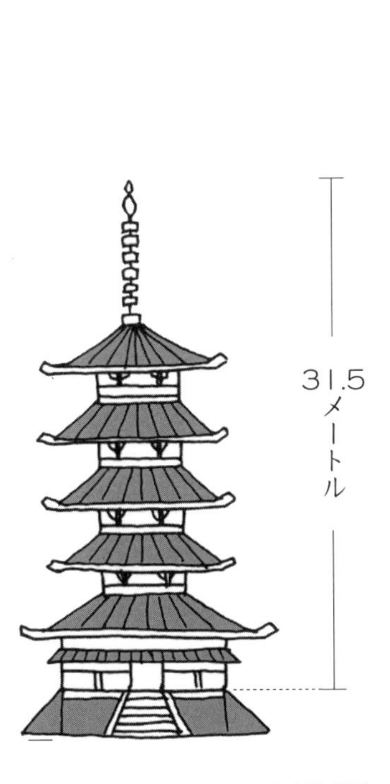

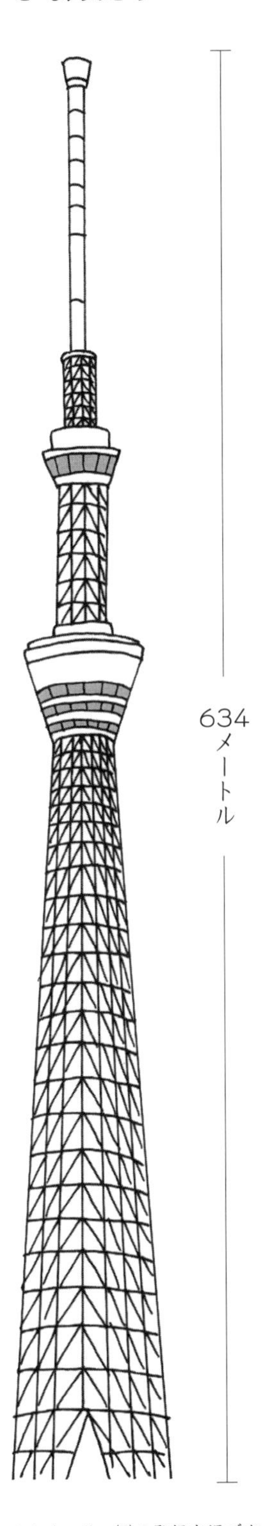

第23課　本文

コーヒーを　飲むと

　コーヒーは　今から　200年ぐらいまえに、オランダ人が　日本へ持って　来ました。明治時代の　初めまで　コーヒーを　飲む　人は少なかったですが、今　日本人は　1年に　1人　560杯ぐらいコーヒーを　飲みます。

　ところで、コーヒーは　体に　悪いと　思って　いる　人はいませんか。実は　コーヒーは　いろいろ　いい　働きが　あります。

　まず　疲れた　とき、眠いけど、仕事や　勉強を　しなければならない　とき、コーヒーを　飲むと、元気に　なります。頭の働きが　よく　なります。日本の　大学で　コーヒーの　働きについて　調べた　ことが　あります。トラックの　運転手が　長い　時間車を　運転してから、簡単な　計算を　しました。眠かったですから、まちがいが　たくさん　ありました。コーヒーを　飲んでから、もう一度　計算を　しました。まちがいは　少なく　なりました。

　次に　コーヒーを　飲むと、リラックスする　ことが　できます。ですから　わたしたちは　喫茶店で　友達と　話す　とき、仕事が終わって　少し　休む　とき、よく　コーヒーを　飲みます。

　また　熱い　コーヒーを　飲むと、体が　温かく　なります。コーヒー　1杯は　2分の　ジョギングと　同じ　働きを　します。

　皆さん、ちょっと　休んで、コーヒーでも　飲みませんか。

Ⅰ　1．例1　（○）　コーヒーは　オランダ人が　日本へ　持って
来ました。

例2　（×）　今　日本人は　1年に　1人　100杯ぐらい
コーヒーを　飲みます。

1）（　　）　明治時代の　初め　日本人は　よく　コーヒーを
飲みました。

2）（　　）　大学で　トラックの　運転手の　計算の　し方に
ついて　調べました。

3）（　　）　疲れた　とき、コーヒーは　体に　悪いです。

2．コーヒーの　働きを　4つ　書いて　ください。

Ⅱ　あなたの　国で　よく　飲む　飲み物は　何ですか。
どんな　とき、飲みますか。

インスタントコーヒーは　日本人が　発明した！

インスタントコーヒーを　初めて　作った　人は　日本人です。シカゴに　住んで　いた　加藤サトリは　「粉末コーヒー」を　作って、1901年に　発表しました。しかし、この　粉末コーヒーは　あまり　有名に　なりませんでした。1938年に　スイスの　コーヒー会社が　加藤サトリが　発明した　方法を　いろいろ　研究して、今の　インスタントコーヒーを　作りました。

第24課 本文

日本語で　お願いします

わたしは　アランです。 大阪に　住んで　いる　フランス人です。 日本人の　友達や　会社の　人、近所の　人と　いつも　日本語で　話します。

でも、デパートや　レストランで　店の　人は　わたしを　見ると、英語で　話します。 わたしは　日本語で　質問しますが、店の　人は　英語で　答えます。 時々　店の　人が　話す　英語が　わかりませんから、「ちょっと　わかりません。」と　日本語で　言うと、また　英語で　一生懸命　話して　くれます。

この間　図書館へ　行く　道が　わかりませんでしたから、駅の　前で　日本人の　男の　人に　日本語で　聞きました。 男の　人は　「だめ、だめ。」と　言いました。

今度は　女の　人に　聞きました。 女の　人は　「図書館、えーと、ライブラリー？」と　言いました。 それから　一生懸命　英語で　説明して　くれました。 長い　時間が　かかりました。 わたしは　「ありがとう　ございました。」と　日本語で　言いました。 それから　教えて　もらった　道を　行きましたが、図書館は　ありませんでした。

日本人の　皆さん、日本語で　お願いします。

Ⅰ　1．例1　（ ○ ）　アランさんは　大阪に　住んで　います。

例2　（ × ）　アランさんは　アメリカ人です。

1）（　　）　アランさんは　日本人と　時々　英語で　話します。

2）（　　）　アランさんは　日本語が　わかりませんから、
日本人は　英語で　話します。

3）（　　）　駅の　前で　日本人と　話した　とき、女の　人は
男の　人より　親切でした。

4）（　　）　アランさんが　図書館へ　行った　とき、図書館は
休みでした。

2．アランさんは　どうして「日本人の　皆さん、日本語で
お願いします。」と　言いましたか。

①英語が　嫌いですから。

②日本人の　英語より　日本語の　ほうが　よく
わかりますから。

③日本語を　覚えたいですから。

Ⅱ　あなたは　いつも　日本人と　日本語で　話しますか。
あなたは　日本人に　日本語で　話して　もらいたいですか。

第24課　プラスアルファ

それ、英語？

　かたかなの　ことばは　英語から　来た　ことばが　多いです。日本で　作った　かたかなの　ことばも　たくさん　ありますが、英語では　ありません。ですから、英語が　わかる　外国人も　意味が　わかりません。

　あなたは　下の　かたかなの　ことばが　わかりますか。

1．ガソリンを　入れたいです。近くに　ガソリンスタンドが　ありますか。

2．日本の　車は　ハンドルが　右に　あります。

3．この　荷物は　重いですから、荷物を　コインロッカーに　入れてから、買い物しましょう。

4．「テレビの　リモコンは？」
　……「その　いすの　上に　ありますよ。」

5．誕生日に　父に　オートバイを　買って　もらいました。16歳に　なりましたから、乗る　ことが　できます。

6．「この　部屋に　コンセントが　ありますか。」
　……「ええ、あの　ソファの　右に　ありますよ。」

☆＿＿＿の　かたかなの　ことばは　右の　絵の　中の　どれですか。

1．（　　）　2．（　　）　3．（　　）　4．（　　）　5．（　　）　6．（　　）

A

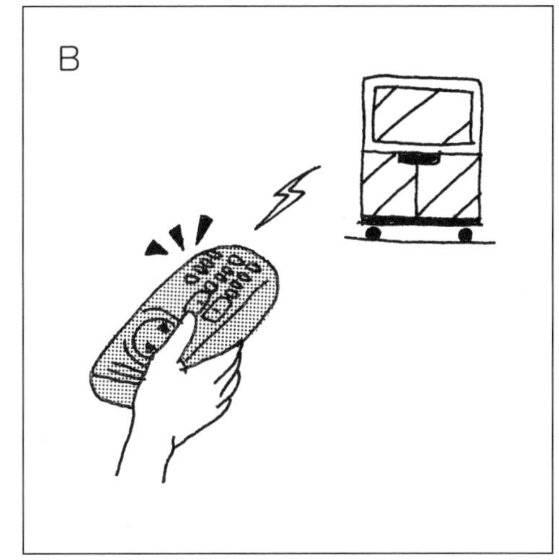
B

C

D
gas

E
105
102
106
103

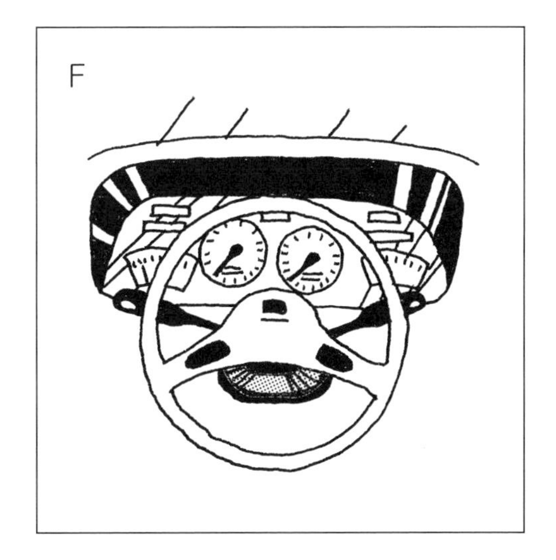
F

将来は…

山本君、川田君、佐藤君は 同じ 高校を 出ました。 そして、今……。

〈山本 一郎〉 僕は 今 小さい 引っ越しの 会社で 働いて います。 友達は みんな 大学へ 行きましたが、僕は 大学で 勉強したい ことが 見つかりませんでした。 大学へ 行っても、意味が ないと 思いました。 働いて、自分の お金で 好きな ことを したいです。 どこか 外国へ 行きたいです。 いろいろ 経験したら、ほんとうに したい ことが 見つかると 思います。

〈川田 悟〉 富士大学で 経済を 勉強して います。 ほんとうは 経済の 勉強より 音楽の ほうが 好きだから、ミュージシャンに なりたいけど……。 でも、両親が 将来を 考えたら、大学を 出なければ ならないと 言いました。 僕も いくら 好きな ことを しても、安定した 生活が できなかったら、 幸せに なる ことは できないと 思います。

〈佐藤 健〉 高校を 出る とき、両親と けんかを しました。 僕は 劇団に 入って、好きな 演劇を すると 言いました。 両親は 大学へ 行かなければ ならない、演劇で 生活する ことは できない、将来 きっと 後悔すると 言いました。

僕は うちを 出て、今 一人で 生活して います。 親から お金を もらって いません。 生活は 苦しいです。 でも、したい ことが ありますから、苦しくても、頑張ります。

Ⅰ　1．①ですか、②ですか。

1）山本君は　{①自分の　お金　②両親に　もらった　お金}で　{①大学へ　行きます　②外国へ　行きます}。

2）川田君は　{①経済より　音楽　②音楽より　経済}の　ほうが　将来　役に　立つと　思って　います。

3）佐藤君は　生活が　{①苦しいですから、後悔して　います　②苦しいですが、後悔して　いません}。

2．1）山本君は　どうして　大学へ　行きませんでしたか。

2）川田君は　どうして　大学に　入りましたか。

3）佐藤君は　どうして　両親と　けんかを　しましたか。

Ⅱ　1．3人の　考え方に　ついて　どう　思いますか。

2．あなたが　親だったら、3人に　何と　言いますか。

第25課　プラスアルファ

若い　人の　考え方

日本、韓国、アメリカ、イギリス、フランスの　若い　人（18歳～24歳）に　聞きました。

1．何が　あったら、社会で　成功する ことが　できますか。

a．努力　　b．才能　　c．運や　チャンス
d．学歴　　e．身分、家柄、親の　地位

	1	2	3	4
日本	a　79.2	b　51.5	c　39.3	d　10.4
韓国	a　66.4	b　59.7	d　25.8	e　24.2
アメリカ	a　71.7	d　51.7	b　45.8	e　11.6
イギリス	a　58.3	b　57.4	d　37.4	e　12.9
フランス	b　64.6	a　62.7	c　32.3	d　19.8

（%）

☆社会で　成功したかったら、才能が　なければ　ならないと　思って　いる　人が　いちばん　多い　国は　（　　　　）です。

2．仕事を　選ぶ　とき、大切だと　思う　ことは　何ですか。

a．仕事の　内容　　b．収入　　c．職場の　雰囲気
d．労働時間　　e．将来性

	1	2	3	4
日本	a　69.3	b　67.8	c　58.6	d　46.2
韓国	b　82.7	e　49.8	a　47.1	d　45.4
アメリカ	b　88.7	d．73.9	a．57.3	c　54.8
イギリス	b　81.4	d．65.2	e　49.7	c　47.6
フランス	b　76.8	a　48.4	c　45.7	e　44.1

（%）

☆「仕事の　内容」が　大切だと　思って　いる　人が　多い　国は
（　　　　　）です。　韓国、アメリカ、イギリス、フランスは
（　　　　　）が　大切だと　思って　いる　人が　多いです。

3．親の　意見に　従わなければ　ならないと　思いますか。

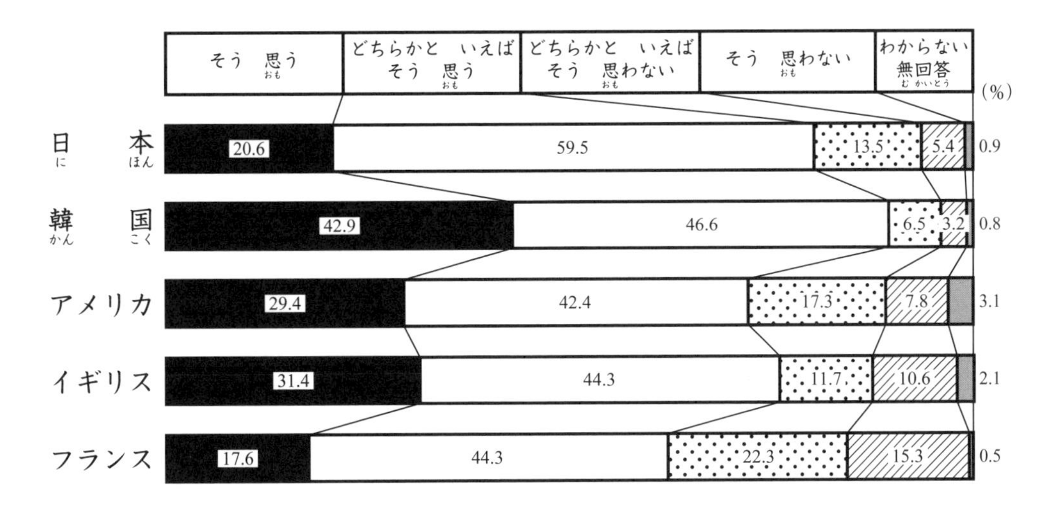

☆親と　意見が　違ったら、従わなくても　いいと　思って　いる
人が　いちばん　多い　国は　（　　　　　）です。

（平成21年内閣府　第8回世界青年意識調査）

著者
牧野昭子（まきのあきこ）
澤田幸子（さわださちこ）
重川明美（しげかわあけみ）
田中よね（たなかよね）
水野マリ子（みずのまりこ）

翻訳
英語　スリーエーネットワーク
インドネシア語　ホラス由美子，PT adiluhung
タイ語　TPA Press, Technology Promotion Association（Thailand-Japan）
ベトナム語　レー・レ・トゥイ
中国語　徐前
韓国語　高恩淑

本文イラスト
向井直子　山本和香　佐藤夏枝

表紙イラスト
さとう恭子

装丁・本文デザイン
山田武

みんなの日本語　初級Ⅰ　第2版
初級で読めるトピック25

2000年11月10日　初版第1刷発行
2014年12月5日　第2版第1刷発行
2022年7月28日　第2版第9刷発行

著　者　牧野昭子　澤田幸子　重川明美　田中よね　水野マリ子
発行者　藤嵜政子
発　行　株式会社　スリーエーネットワーク
〒102-0083 東京都千代田区麹町3丁目4番
トラスティ麹町ビル 2F
電話　営業 03（5275）2722
編集 03（5275）2725
https://www.3anet.co.jp/
印　刷　倉敷印刷株式会社

ISBN978-4-88319-689-0　C0081

みんなの日本語

Minna no Nihongo

初級Ⅰ 第2版

初級で読めるトピック25

スリーエーネットワーク

ことばの翻訳(ほんやく)

ウォーミングアップ１　お国(くに)は　どちらですか

ワシントン	Washington	Washington	วอชิงตัน
リオデジャネイロ	Rio de Janeiro	Rio de Janeiro	ริโอ เดอ จาเนโร
ハノイ	Hanoi	Hanoi	ฮานอย
ニューデリー	New Delhi	New Delhi	นิวเดลี
カイロ	Cairo	Kairo	ไคโร
みなさん　皆さん	everybody	Bapak-bapak, ibu-ibu dan saudara-saudara sekalian	ทุกคน (ใช้เวลาเรียก)
エジプト	Egypt	Mesir	อียิปต์
かた　方	person (polite equivalent of ひと)	orang (kata hormat untuk ひと)	คน, ชาว (คำสุภาพของ ひと)
ベトナム	Vietnam	Vietnam	เวียดนาม

ウォーミングアップ２　ジュースを　お願(ねが)いします

ジュース	juice	jus	น้ำผลไม้
おねがいします お願いします	please	Minta ～!, tolong	ขอ, ขอร้อง, ได้โปรด
メニュー	menu	menu, daftar makanan	เมนู
コーヒー	coffee	kopi	กาแฟ
こうちゃ　紅茶	tea	teh	ชาฝรั่ง
ビール	beer	bir	เบียร์
アイスクリーム	ice cream	es krim	ไอศกรีม
サンドイッチ	sandwich	*sandwich*	แซนด์วิช
ハンバーガー	hamburger	*hamburger*	แฮมเบอร์เกอร์
スパゲッティ	spaghetti	spageti	สปาเกตตี
カレー[ライス]	curry [with rice]	[nasi] kari	[ข้าวราด] แกงกะหรี่
サラダ	salad	salad	สลัด
レストラン	restaurant	restoran	ร้านอาหาร

ウォーミングアップ３　こうべまで　いくらですか

JR	Japan Railways	jalur kereta JR	รถไฟของบริษัท Japan Railways
うんちん	fare	ongkos karcis kereta	ค่าโดยสาร

ウォーミングアップ４　いつ　行(い)きますか

はいしゃ　歯医者	dentist	dokter gigi	คลินิกทันตกรรม, ร้านหมอฟัน
－しゅうかん　－週間	– week(s)	– minggu	－สัปดาห์
クラブかつどう クラブ活動	club activities	ekstra kurikuler	กิจกรรมชมรม
アルバイト	part-time job	kerja paruh waktu, kerja sampingan	งานพิเศษ

ウォーミングアップ１　お国は　どちらですか

ワシントン	Oa-sinh-tơn	华盛顿	워싱턴
リオデジャネイロ	Ri-ô đờ Da-nê-rô	里约热内卢	리오데자네이로
ハノイ	Hà Nội	河内	하노이
ニューデリー	Niu Đê-li	新德里	뉴델리
カイロ	Cai-rô	开罗	카이로
みなさん　皆さん	Thưa các bạn!	各位，大家	여러분
エジプト	Ai Cập	埃及	이집트
かた　方	người (cách nói lịch sự của “ひと”)	人（「ひと」的礼貌用语）	분（ひと의 존경어）
ベトナム	Việt Nam	越南	베트남

ウォーミングアップ２　ジュースを　お願いします

ジュース	nước hoa quả, nước rau, nước ngọt	汽水，果汁	주스
おねがいします お願いします	Xin được sự quan tâm giúp đỡ (của mọi người)!	拜托	부탁합니다
メニュー	thực đơn	菜单	메뉴
コーヒー	cà phê	咖啡	커피
こうちゃ　紅茶	trà	红茶	홍차
ビール	bia	啤酒	맥주
アイスクリーム	kem	冰激凌	아이스크림
サンドイッチ	bánh mì kẹp, bánh xăng-uých	三明治	샌드위치
ハンバーガー	bánh hăm-bơ-gơ	汉堡包	햄버그
スパゲッティ	mì Ý	意大利面	스파게티
カレー[ライス]	[cơm] cà ri	咖喱[饭]	카레[라이스]
サラダ	xa lát	沙拉	샐러드
レストラン	nhà hàng	餐厅	레스토랑

ウォーミングアップ３　こうべまで　いくらですか

JR	tuyến JR	JR线（电车路线）	JR선
うんちん	cước phí	运费	운임

ウォーミングアップ４　いつ　行きますか

はいしゃ　歯医者	bác sỹ răng	牙科（医生）	치과（의사）
ーしゅうかん　ー週間	– tuần	–个星期	–주일
クラブかつどう クラブ活動	hoạt động câu lạc bộ	课外活动	클럽 활동
アルバイト	làm thêm	临时工	아르바이트

テニス	tennis	tenis	เทนนิส
しおざきしか　塩崎歯科	a fictitious dental clinic	dokter gigi fiksi	ชื่อคลินิกทันตกรรม (นามสมมุติ)
しんりょうじかん 診療時間	consultation hours	jam praktek	เวลาทำการ (ตรวจรักษา)

ウォーミングアップ５　何時(なんじ)の　飛行機(ひこうき)で？

ほんしゃ　本社	head office	kantor pusat	สำนักงานใหญ่
くうこう　空港	airport	bandara	สนามบิน, ท่าอากาศยาน
JR	Japan Railways	jalur kereta JR	รถไฟของบริษัท Japan Railways
はねだ　羽田	name of an airport in Tokyo	nama bandara yang ada di Tokyo	ชื่อสนามบินในโตเกียว
びんめい　便名	flight number	nomor penerbangan	หมายเลขไฟลท์
しゅっぱつ　出発	departure	keberangkatan	การออกเดินทาง
とうちゃく　到着	arrival	kedatangan	การเดินทางมาถึง

第６課　本文　お花見(はなみ)

よしのやま　吉野山	Mt.Yoshino	Gunung Yoshino	ภูเขาโยชิโนะ
ロープウエー	ropeway	*ropeway*/kereta gantung	กระเช้าไฟฟ้า
さくら　桜	cherry blossoms	bunga *Sakura*	ดอกซากุระ
みなさん　皆さん	everybody	Bapak-bapak, ibu-ibu dan saudara-saudara sekalian	ทุกคน (ใช้เวลาเรียก)
あべのばしえき あべの橋駅	Abenobashi station	stasiun Abenobashi	สถานีรถไฟอาเบะโนะบาชิ
もちもの　持ち物	things to carry, belongings	barang bawaan	สิ่งของที่พกติดตัว, สิ่งของที่นำไปด้วย
[お]べんとう [お]弁当	box lunch	bekal (makanan)	อาหารกล่อง, ข้าวกล่อง
のみもの　飲み物	drinks	minuman	เครื่องดื่ม
もうしこみ　申し込み	application	pendaftaran	ใบสมัคร, การสมัคร
もっていきます 持って行きます	take (something)	membawa pergi	เอาไป, นำไป

第７課　本文　もらいました・あげました

ペルー	Peru	Peru	เปรู
コート	coat	baju hangat	เสื้อโค้ท
みなさん　皆さん	everybody	semuanya	ทุกคน (ใช้เวลาเรียก)
かえします　返します	give back, return	mengembalikan	คืน
でも	but	tetapi	แต่
しんちょう　身長	height	tinggi badan	ส่วนสูง
ーセンチ	– centimeter	– sentimeter	– เซนติเมตร
ーメートル	– meter	– meter	– เมตร
いれてください 入れてください	please put in ～	tolong masukkan	กรุณาใส่/เติม

テニス	ten-nít	网球	테니스
しおざきしか　塩崎歯科	phòng khám nha khoa tưởng tượng	虚拟的牙科诊所	실제로 존재하지 않는 치과 이름
しんりょうじかん　診療時間	thời gian khám bệnh	诊疗时间	진료시간

ウォーミングアップ５　何時(なんじ)の　飛行機(ひこうき)で？

ほんしゃ　本社	trụ sở chính	总公司	본사
くうこう　空港	sân bay	机场	공항
JR	tuyến JR	JR 线（电车路线）	JR 선
はねだ　羽田	tên của một sân bay ở Tô-ki-ô	位于东京的机场	도쿄에있는 공항 이름
びんめい　便名	số hiệu chuyến bay	航班号	편명
しゅっぱつ　出発	xuất phát	起飞	출발
とうちゃく　到着	đến	抵达	도착

第６課　本文　お花見(はなみ)

よしのやま　吉野山	núi Yo-shi-nô	吉野山（地名）	요시노산（산 이름）
ロープウエー	cáp treo	空中缆车	로프웨이
さくら　桜	hoa anh đào	樱花	벚꽃
みなさん　皆さん	Các bạn ơi!	各位，大家	여러분（많은 사람들을 부를 때 쓰임）
あべのばしえき　あべの橋駅	Ga A-bê-nô-ba-shi	阿倍野桥车站	아베노바시역
もちもの　持ち物	đồ mang theo	携带物品	소지품
[お]べんとう　[お]弁当	cơm hộp	盒饭	도시락
のみもの　飲み物	đồ uống	饮料	음료수
もうしこみ　申し込み	nơi đăng ký tham gia	申请	신청
もっていきます　持って行きます	mang (gì đó) đi	带着（东西）去	가지고 갑니다

第７課　本文　もらいました・あげました

ペルー	Pê-ru	秘鲁	페루
コート	áo khoác	外套	코트
みなさん　皆さん	tất cả mọi người	大家	모두
かえします　返します	trả	还	돌려 줍니다
でも	nhưng	不过	하지만
しんちょう　身長	chiều cao	身高	신장
－センチ	– cm, – xăng-ti-mét	－公分	－센치
－メートル	– m, – mét	－米	－미터
いれてください　入れてください	hãy điền	请放进去	넣어 주세요

第8課　本文　町(まち)の　生活(せいかつ)・田舎(いなか)の　生活(せいかつ)

いなか　田舎	country	desa, kampung	ต่างจังหวัด, ชนบท
[お]しょうがつ　[お]正月	New Year's Day	Tahun Baru	ปีใหม่, วันปีใหม่
パーティー	party	pesta	ปาร์ตี้, งานเลี้ยง
でも	but	tetapi	แต่
たいへん[な]　大変[な]	hard, tough	berat, sulit, sukar	ลำบาก
こんどは　今度は	next time	lain kali	คราวหน้า, ครั้งถัดไป
はがき	postcard	kartu pos	โปสการ์ด, ไปรษณียบัตร
かいてください　書いてください	please write ～	tolong tulis ～	กรุณาเขียน

第9課　本文　日本(にほん)が　好(す)きです

インタビュー	interview	wawancara/*interview*	การสัมภาษณ์
しゃしんか　写真家	photographer	tukang foto	ช่างภาพ
たたみ　畳	tatami mat (straw mat)	*tatami*	เสื่อทาทามิ
しょくじ　食事	meal	makan, makanan	การรับประทานอาหาร, มื้ออาหาร
おなじ　同じ	same	sama	เหมือนกัน
タンザニア	Tanzania	Tanzania	แทนซาเนีย
こたつ	Japanese foot warmer with frame and coverlet	*kotatsu* (alat pemanas berbentuk meja)	โต๊ะโคตัทสึ
でも	but	tetapi	แต่
ふゆ　冬	winter	musim dingin	ฤดูหนาว
かた　方	person (polite equivalent of ひと)	orang (kata hormat untuk ひと)	คน, ชาว (คำสุภาพของ ひと)
してください	please do ～	silakan ～	กรุณาทำ

第10課　本文　美術館(びじゅつかん)

ちず　地図	map	peta	แผนที่
ヨーロッパ	Europe	Eropa	ยุโรป
まんなか　真ん中	center	tengah, tengah-tengah	ตรงกลาง
グラス	glass	gelas	แก้วน้ำ
でも	but	tetapi	แต่
ピアノ	piano	piano	เปียโน
そば	by, nearby	samping, dekat	ด้านข้าง, ข้าง ๆ
め　目	eye	mata	ตา, ดวงตา
くも　雲	cloud	awan	เมฆ
かわ　川	river	sungai	แม่น้ำ

第11課　本文　お祭(まつ)り

[お]まつり　[お]祭り	festival	perayaan	งานเทศกาล
ホームステイ	homestay	*homestay*	โฮมสเตย์
じんじゃ　神社	Shinto shrine	kuil	ศาลเจ้าของลัทธิชินโต

第８課　本文　町の　生活・田舎の　生活

いなか　田舎	quê, vùng quê	乡下	시골
[お]しょうがつ [お]正月	Tết năm mới	正月	설날
パーティー	tiệc, cỗ	宴会	파티
でも	nhưng	不过	하지만
たいへん[な]　大変[な]	vất vả, mệt	不容易	힘들다
こんどは　今度は	đợt tới	下次	다음에는
はがき	bưu thiếp	明信片	엽서
かいてください 書いてください	hãy viết	请写一下	써 주세요

第９課　本文　日本が　好きです

インタビュー	cuộc phỏng vấn	采访	인터뷰
しゃしんか　写真家	nhà nhiếp ảnh	摄影师	사진가
たたみ　畳	chiếu Tatami	榻榻米	다다미
しょくじ　食事	ăn cơm	进餐	식사
おなじ　同じ	cùng một	同样	같은 ～
タンザニア	Tan-da-ni-a	坦桑尼亚	탄자니아
こたつ	bàn sưởi ấm, bàn ko-ta-tsu	被炉	테이블식 전기 화로
でも	nhưng	不过	하지만
ふゆ　冬	mùa đông	冬天	겨울
かた　方	người (cách nói lịch sự của "ひと")	人（「ひと」的礼貌用语）	분（ひと의 존경어）
してください	hãy (làm gì đó)	请做	해 주세요

第10課　本文　美術館

ちず　地図	bản đồ	地图	지도
ヨーロッパ	châu Âu	欧洲	유럽
まんなか　真ん中	chính giữa, ở giữa	正中	한가운데
グラス	chiếc li	玻璃杯	유리컵
でも	nhưng	不过	하지만
ピアノ	đàn pi-a-nô	钢琴	피아노
そば	cạnh, bên cạnh	旁边	옆
め　目	mắt	眼睛	눈
くも　雲	mây	云	구름
かわ　川	dòng sông	河	강

第11課　本文　お祭り

[お]まつり　[お]祭り	lễ hội	庙会（日本的庆典活动）	축제
ホームステイ	ở homestay	（留学生或旅游者）寄宿民家	홈스테이
じんじゃ　神社	đền	神社	신사

なつ　夏	summer	musim panas	ฤดูร้อน
ゲーム	game	permainan, *game*	เกม
おもちゃ	toy	mainan	ของเล่น
ティーシャツ　Tシャツ	T-shirt	baju kaos	เสื้อยืด
たこやき　たこ焼き	octopus dumpling	*takoyaki* (makanan Jepang berbentuk bulat dan berisi gurita)	ทาโกยากิ
おこのみやき　お好み焼き	a type of pancake grilled with meat, vegetables and egg	*okonomiyaki* (makanan Jepang sejenis *pancake* berisi daging atau sayur)	โอโคโนมิยากิ
おみこし	portable shrine	*mikoshi*, tandu	ศาลเจ้าขนาดเล็กสำหรับแบกหรือแห่ในงานเทศกาล
おどり　踊り	dance	tarian	การเต้นรำ
ぶたい　舞台	stage	panggung	เวที
かわいい	lovery, cute	manis	น่ารัก, น่าเอ็นดู
しょうかいしてください　紹介してください	please introduce ～	tolong perkenalkan	กรุณาแนะนำ

第11課　プラスアルファ　お祭りに　行きましょう

[お]まつり　[お]祭り	festival	perayaan	งานเทศกาล
いらっしゃい！　いらっしゃい！	Step right up!	Selamat datang!	เร่เข้ามา ! เร่เข้ามา !
きんぎょすくい　金魚すくい	goldfish scooping	tangkap ikan emas (jenis permainan)	การช้อนปลาทอง
りんごあめ	candy apple	permen apel (permen berisi apel)	แอปเปิลเคลือบน้ำตาล
おめん　お面	mask	topeng	หน้ากาก
おかめ	fat-faced woman's mask	*Okame* (topeng tradisional wanita)	หน้ากากผู้หญิงที่ใบหน้ามีลักษณะอ้วนกลม
ひょっとこ	distorted male mask	*Hyottoko* (topeng tradisional laki-laki)	หน้ากากตัวตลกผู้ชาย
キャラクターもの	character goods	benda tokoh fiksi	สินค้าตัวการ์ตูน
いろいろ	various	macam-macam	หลากหลาย, ต่าง ๆ นานา
あひる	duck	bebek	เป็ด
わあ	Oh!, Wow!	Wah!	ว้าว (คำอุทาน)
うま　馬	horse	kuda	ม้า
いれてください　入れてください	please put in ～	tolong masukkan	กรุณาใส่/เติม
ーわ　ー羽	(counter for birds and rabbits)	– ekor (kata bantu bilangan untuk burung dan kelinci)	ー ตัว (ลักษณนามของนกหรือกระต่าย)
ーはい　ー杯	– glass or cup of (counter for full cups, glasses, etc.)	– gelas/cangkir (kata bantu bilangan untuk cangkir dan gelas)	ーใบ, ー แก้ว (ลักษณนามของถ้วยหรือแก้ว)

なつ　夏	mùa hè	夏天	여름
ゲーム	trò chơi	游戏	게임
おもちゃ	đồ chơi	玩具	장남감
ティーシャツ　Ｔシャツ	áo sơ mi	T恤衫	T셔츠
たこやき　たこ焼き	món Ta-kô-ya-ki (bánh bạch tuộc nướng)	烤章鱼包	잘게 썬 문어가 들어있는 미니빵
おこのみやき　お好み焼き	món Ô-kô-nô-mi-ya-ki (món bánh xèo kiểu Nhật)	杂样煎饼（日本的一种用蔬菜和鸡蛋等做成的饼）	철판 요리의 하나（한국의 부침개와 비슷하다）
おみこし	rước kiệu	神轿	신을 모시는 가마
おどり　踊り	nhảy múa	舞蹈	춤
ぶたい　舞台	sân khấu	舞台	무대
かわいい	dễ thương	可爱	귀엽다
しょうかいしてください　紹介してください	hãy giới thiệu	请介绍一下	소개해 주세요

第11課　プラスアルファ　お祭り（まつ）に　行き（い）ましょう

[お]まつり　[お]祭り	lễ hội	庙会（日本的庆典活动）	축제
いらっしゃい！　いらっしゃい！	Mua đê…! Mua đê…!	欢迎，欢迎！	어서 오세요！
きんぎょすくい　金魚すくい	hớt cá	捞金鱼（一种游戏）	금붕어 건지기
りんごあめ	kẹo mút nhân táo	苹果糖（类似冰糖葫芦）	사과를 통채로 막대기에 꽂아 놓은 사탕
おめん　お面	mặt nạ	面具	가면
おかめ	mặt nạ Ô-ka-mê (mặt nạ có hình mặt nữ tròn trịa, trông phúc hậu)	女丑角面具	둥근 얼굴에 코가 납작한 여자 가면
ひょっとこ	mặt nạ Hyot-tô-kô (mặt nạ có hình mặt nam méo xẹo)	男丑角面具	얼굴이 삐뚤어지고 짝짝이 눈의 남자 가면
キャラクターもの	hình các nhân vật	卡通人物	캐릭터상품
いろいろ	nhiều	各种各样	여러가지
あひる	vịt	鸭子	오리
わあ	Ôi chao!	哇	와！
うま　馬	ngựa	马	말
いれてください　入れてください	hãy điền	请放进去	넣어 주세요
ーわ　ー羽	– con (lượng từ đếm con vật nhỏ như chim, thỏ...)	ー只（数鸟类、兔子等时使用的量词）	ー마리（새나 토끼를 셀 때 쓰이는 조수사）
ーはい　ー杯	– cốc (lượng từ những thứ đựng trong cốc, li, bát...)	ー杯（数盛在杯中的饮料、液体时使用的量词）	ー잔（유리잔이나 컵을 셀 때 쓰이는 조수사）

−ひき　−匹	(counter for small animals, fish and insects)	(kata bantu bilangan untuk binatang kecit, ikan dan serangga)	−ตัว (ลักษณนามของสัตว์เล็ก ปลาและแมลง)
−とう　−頭	(counter for large animals)	– ekor (kata bantu bilangan untuk binatang besar)	−ตัว (ลักษณนามของสัตว์ใหญ่)
−ほん　−本	(counter for long objects)	– batang (kata bantu bilangan untuk benda panjang kurus)	−ด้าม, −แท่ง, −ขวด, −ขา (ลักษณนามของสิ่งที่มีลักษณะยาวหรือเป็นเส้น)

第12課　本文　沖縄旅行(おきなわりょこう)

みなみ　南	south	selatan	ทิศใต้
りょこうしゃ　旅行者	traveler, tourist	wisatawan, turis	นักท่องเที่ยว
たいわん　台湾	Taiwan	Taiwan	ไต้หวัน
とうなんアジア　東南アジア	Southeast Asia	Asia Tenggara	เอเชียตะวันออกเฉียงใต้
めずらしい　珍しい	rare	langka, jarang	แปลก, หายาก
ほんとうに	really	betul-betul, benar-benar	จริง ๆ
すばらしい	wonderful	sangat bagus	วิเศษ, ยอดเยี่ยม
さんごしょう　珊瑚礁	coral reef	batu karang	ปะการัง
おきなわのことば　沖縄のことば	Okinawa dialect	dialek daerah Okinawa (bahasa daerah)	ภาษาถิ่นโอกินาวะ
それに	in addition	lagi pula	ยิ่งกว่านั้น, นอกเหนือจากนั้น
だいすき[な]　大好き[な]	like very much	suka sekali	ชอบมาก
しょうかいしてください　紹介してください	please introduce ～	perkenalkanlah～/tolong perkenalkan ～	กรุณาแนะนำ

第12課　プラスアルファ　クイズ　世界(せかい)と　日本(にほん)

クイズ	quiz	kuis/teka-teki	ควิซ, คำถาม
エベレスト	Mt. Everest	Gunung Everest	ยอดเขาเอเวอร์เรสต์
チョモランマ	Chomolungma	Chomolangma (nama gunung)	ยอดเขาเอเวอร์เรสต์
かわ　川	river	sungai	แม่น้ำ
アマゾンがわ　アマゾン川	River Amazon	Sungai Amazon	แม่น้ำอะเมซอน
ながい　長い	long	panjang	ยาว
カナダ	Canada	Kanada	แคนาดา
アフリカ	Africa	Afrika	แอฟริกา
みなみアメリカ　南アメリカ	South America	Amerika Selatan	อเมริกาใต้
アジア	Asia	Asia	เอเชีย
ヨーロッパ	Europe	Eropa	ยุโรป
じんこう　人口	population	jumlah penduduk	ประชากร
たいへいよう　太平洋	Pacific Ocean	Samudera Pasifik	มหาสมุทรแปซิฟิก

ーひき　ー匹	– con (lượng từ đếm động vật, cá, côn trùng)	ー条，ー匹(数动物、鱼、昆虫等时使用的量词)	ー마리（작은 동물이나 물고기를 셀 때 쓰이는 조수사）
ーとう　ー頭	– con (lượng từ đếm những con vật to)	ー匹（数大型动物时使用的量词）	ー마리（큰 동물을 셀 때 쓰이는 조수사）
ーほん　ー本	– cây (lượng từ đếm những vật có hình thù dài)	ー根，ー条（数细长东西时使用的量词）	ー병,ー자루,ー송이(긴 것을 셀 때 쓰이는 조수사）

第12課　本文　沖縄旅行(おきなわりょこう)

みなみ　南	phía Nam	南	남쪽
りょこうしゃ　旅行者	khách du lịch	旅行者	여행자
たいわん　台湾	Đài Loan	台湾	대만
とうなんアジア　東南アジア	Đông Nam Á	东南亚	동남아시아
めずらしい　珍しい	hiếm	珍奇，珍贵	희귀하다，드물다
ほんとうに	thật sự	真的	정말로
すばらしい	tuyệt vời	非常好	멋있다，훌륭하다
さんごしょう　珊瑚礁	rặng san hô	珊瑚礁	산호초
おきなわのことば　沖縄のことば	tiếng Ô-ki-na-oa	冲绳话	오키나와말
それに	thêm vào đó, hơn nữa	而且	게다가
だいすき[な]　大好き[な]	rất thích	非常喜欢	매우 좋아하다
しょうかいしてください　紹介してください	hãy giới thiệu	请介绍一下	소개해 주세요

第12課　プラスアルファ　クイズ　世界(せかい)と　日本(にほん)

クイズ	câu đố	智力问答	퀴즈
エベレスト	đỉnh Ê-vơ-rét	艾佛勒斯峰	에베레스트
チョモランマ	đỉnh Chô-mô-lung-ma	珠穆朗玛峰	초모룽마
かわ　川	con sông	河	강
アマゾンがわ　アマゾン川	sông A-ma-dôn	亚马逊河	아마존 강
ながい　長い	dài	长	길다
カナダ	Ca-na-đa	加拿大	캐나다
アフリカ	châu Phi	非洲	아프리카
みなみアメリカ　南アメリカ	Nam Mỹ	南美	남아메리카
アジア	châu Á	亚洲	아시아
ヨーロッパ	châu Âu	欧洲	유럽
じんこう　人口	dân số	人口	인구
たいへいよう　太平洋	Thái Bình Dương	太平洋	태평양

たいせいよう　大西洋	Atlantic Ocean	Samudera Atlantik	มหาสมุทรแอตแลนติก
かんこうきゃく　観光客	tourist	wisatawan, turis	นักท่องเที่ยว
さきます　咲きます	bloom	mekar/berbunga	(ดอกไม้) บาน
ながいきします　長生きします	live long	berumur panjang	อายุยืน
てんさい　天才	genius	jenius	อัจฉริยะ
ふつうの　普通の	ordinary	biasa	ปกติ, ธรรมดา
うちゅうじん　宇宙人	extraterrestrial	makhluk ruang angkasa	มนุษย์ต่างดาว

第13課　本文　宝くじ

たからくじ　宝くじ	lottery	lotre	ลอตเตอรี่
あたります　当たります	win	menang	ถูก (ลอตเตอรี่)
おく　億	hundred million	seratus juta	หนึ่งร้อยล้าน
しんじられません　信じられません	I can't believe (that)	saya tidak percaya/saya tidak bisa percaya	ไม่น่าเชื่อ
やめます	quit	meninggalkan, berhenti	ลาออก, เลิก
[－えん]さつ　[－円]札	[– yen] note	uang kertas [– yen]	ธนบัตร [－เยน]
きかい　機械	machine	mesin	เครื่องจักร
かぞえます　数えます	count	menghitung	นับ
じぶんで　自分で	by oneself	dengan sendiri, sendirian	ด้วยตัวเอง, ด้วยตนเอง
また	again	sekali lagi	อีก, และ, อีกทั้ง
けいかん　警官	policeman	polisi	เจ้าหน้าที่ตำรวจ
あなた	darling	Pak	คุณ (ใช้เวลาเรียกสามี)

こえ　声	voice	suara	เสียง
ゆめ　夢	dream	mimpi	ความฝัน
おなじ　同じ	same	sama	เหมือนกัน
ゆめをみます　夢を見ます	have a dream	bermimpi	ฝัน
うま　馬	horse	kuda	ม้า
－とう　－頭	(counter for large animals)	– ekor	－ตัว (ลักษณนามของสัตว์ใหญ่)

スポーツカー	sports car	mobil *sport*	รถสปอร์ต
うちゅう　宇宙	universe, outer space	ruang angkasa	จักรวาล
きん　金	gold	emas	ทอง
ぎんざ　銀座	district in Tokyo	nama tempat di Tokyo	ชื่อเขตในโตเกียว
とち　土地	land	tanah	ที่ดิน
ハンバーガー	hamburger	*hamburger*	แฮมเบอร์เกอร์
－こ　－個	(counter for small objects)	– buah (kata bantu bilangan untuk benda kecil)	－อัน (ลักษณนามของสิ่งของชิ้นเล็ก)

第14課　本文　ビデオレター

ビデオレター	video letter	berita video	จดหมายรูปแบบวิดีโอ

たいせいよう　大西洋	Đại Tây Dương	大西洋	대서양
かんこうきゃく　観光客	khách du lịch	游客	관광객
さきます　咲きます	nở	开花	（꽃이）핍니다
ながいきします　長生きします	sống lâu	长寿	오래 삽니다
てんさい　天才	thiên tài	天才	천재
ふつうの　普通の	bình thường	普通的	보통 N
うちゅうじん　宇宙人	người ngoài trái đất	宇宙人	우주인

第13課　本文　宝くじ（たから）

たからくじ　宝くじ	xổ số	彩票	복권
あたります　当たります	trúng	中（彩）	당첨됩니다
おく　億	100 triệu	亿	억
しんじられません　信じられません	không thể tin nổi	难以相信	믿을 수 없습니다
やめます	bỏ	辞（职）	그만둡니다
[－えん]さつ　[－円]札	tờ [– yên]	[－日元] 钞票	[－엔] 짜리 지폐
きかい　機械	máy	机械	기계
かぞえます　数えます	đếm	数	（수를）셉니다
じぶんで　自分で	tự mình	自己	스스로
また	lại	又，再	또
けいかん　警官	cảnh sát	警官	경찰관
あなた	mình, anh (từ người vợ dùng gọi chồng)	你（妻子叫丈夫时用）	여보
こえ　声	tiếng	声音	목소리
ゆめ　夢	giấc mơ	梦	꿈
おなじ　同じ	giống	同样	같은 ～
ゆめをみます　夢を見ます	mơ, nằm mơ	做梦	꿈을 꿉니다
うま　馬	ngựa	马	말
－とう　－頭	– con (lượng từ đếm những con vật to)	－匹（数大型动物时使用的量词）	－마리（큰 동물을 셀 때 쓰이는 조수사）
スポーツカー	xe ô tô thể thao	赛车	스포츠 카
うちゅう　宇宙	vũ trụ	宇宙	우주
きん　金	vàng	金	금
ぎんざ　銀座	tên một địa danh của Tô-ki-ô	东京的地名	東京의 도시 이름
とち　土地	đất	土地	토지
ハンバーガー	bánh hăm-bơ-gơ	汉堡包	햄버거
－こ　－個	– cái	－个	－개

第14課　本文　ビデオレター

ビデオレター	thư gửi dưới dạng băng video	视频邮件	비디오 레터

しんさいばし　心斎橋	district in Osaka	nama tempat di Osaka	ชื่อย่านในโอซาก้า
はし　橋	bridge	jembatan	สะพาน
ギター	guitar	gitar	กีตาร์
ひきます　弾きます	play (stringed instrument, piano, etc.)	bermain	ดีด (เครื่องสาย เปียโน เป็นต้น)
ことば	language	bahasa	ภาษา, คำศัพท์
しんせかい　新世界	district in Osaka	nama tempat di Osaka	ชื่อย่านในโอซาก้า
くしカツ　串カツ	skewered and fried meat or vegetable dish	sate babi goreng tepung	คุชิกัทสึ (เนื้อหรือผักเสียบไม้ทอด)
つうてんかく　通天閣	tower with observation deck in Osaka	menara dengan dek peninjau yang ada di Osaka	หอคอยชมวิวในโอซาก้า
おおさかじょうこうえん　大阪城公園	Osaka Castle Park	Osakajo koen, taman benteng Osaka	สวนสาธารณะปราสาทโอซาก้า
しょうかいします　紹介します	introduce	memperkenalkan	แนะนำ

第14課　プラスアルファ　みんなの　伝言板（でんごんばん）

でんごんばん　伝言板	message board	papan pesan	กระดานเขียนบอกข้อความ
ベトナム	Vietnam	Vietnam	เวียดนาม
ーちょうめ　ー丁目	– th block	blok – (alamat ligkungan)	บล็อกที่ –
だいじょうぶ[な]　大丈夫[な]	all right	tidak apa-apa	ไม่เป็นไร, ไม่มีปัญหา
～きょうしつ　～教室	～ class	kelas ～	ห้องเรียน～, ชั้นเรียน～
こいぬ	puppy	anak anjing	ลูกสุนัข
ーひき／ーびき	(counter for small animals, fish and insects)	– ekor (kata bantu bilangan untuk binatang kecil)	–ตัว (ลักษณนามของสัตว์เล็ก ปลาและแมลง)
まいしゅう　毎週	every week	setiap minggu	ทุกสัปดาห์
クラブ	club	ekstra kurikler	ชมรม, คลับ
ペット	pet	binatang kesayangan, hewan pemeliharaan	สัตว์เลี้ยง

第15課　本文　高校（こうこう）

しょうがっこう　小学校	elementary school	SD	โรงเรียนประถมศึกษา
ちゅうがっこう　中学校	junior high school	SMP	โรงเรียนมัธยมศึกษาตอนต้น
～かん　～間	for ～ (referring to duration)	selama ～	ระยะเวลา～
ぎむきょういく　義務教育	compulsory education	pendidikan wajib	การศึกษาภาคบังคับ
ちゅうがくせい　中学生	junior high school student	siswa SMP	นักเรียนมัธยมศึกษาตอนต้น
～いじょう　～以上	not less than ～, over ～	～ ke atas	ตั้งแต่～ขึ้นไป
こうこうせい　高校生	(senior) high school student	siswa SMA	นักเรียนมัธยมศึกษาตอนปลาย

しんさいばし　心斎橋	tên một địa danh của Ô-sa-ka	大阪的地名	大阪의 거리 이름
はし　橋	cầu	桥	다리
ギター	đàn ghi-ta	吉他	기타
ひきます　弾きます	chơi	弹	(악기를) 연주합니다, 칩니다
ことば	ngôn ngữ	语言	말
しんせかい　新世界	tên một địa danh của Ô-sa-ka	大阪的地名	大阪의 지리 이름
くしカツ　串カツ	thịt xiên nướng	炸肉串	꼬치튀김
つうてんかく　通天閣	tháp có đài quan sát ở Ô-sa-ka	位于大阪的带有眺望台的塔	大阪에 있는 전망탑
おおさかじょうこうえん　大阪城公園	Công viên thành Ô-sa-ka	大阪城公园	大阪성 공원
しょうかいします　紹介します	giới thiệu	介绍	소개합니다

第14課　プラスアルファ　みんなの　伝言板（でんごんばん）

でんごんばん　伝言板	bảng thông báo	留言板	전언판
ベトナム	Việt Nam	越南	베트남
－ちょうめ　－丁目	khối –	－丁目（相当于胡同、街道）	－가 (주소의 표시)
だいじょうぶ[な]　大丈夫[な]	không sao	不要紧	괜찮다
～きょうしつ　～教室	lớp học ～	～教室	～교실
こいぬ	cún con, chó con	小狗	강아지
－ひき／－びき	– con (lượng từ đếm động vật, cá, côn trùng)	－只（数动物、鱼、昆虫等时使用的量词）	－마리 (작은 동물이나 물고기를 셀 때 쓰이는 조수사)
まいしゅう　毎週	hàng tuần	每周	매주
クラブ	câu lạc bộ	俱乐部	클럽, 써클
ペット	thú nuôi	宠物	애완동물

第15課　本文　高校（こうこう）

しょうがっこう　小学校	tiểu học, trường cấp một	小学	초등학교
ちゅうがっこう　中学校	trung học cơ sở, trường cấp hai	初中	중학교
～かん　～間	từ đi sau từ chỉ thời gian để chỉ khoảng thời gian	～间	～간
ぎむきょういく　義務教育	giáo dục bắt buộc	义务教育	의무교육
ちゅうがくせい　中学生	học sinh trung học cơ sở, học sinh cấp hai	初中生	중학생
～いじょう　～以上	từ ～ trở lên	～以上	～이상
こうこうせい　高校生	học sinh trung học phổ thông, học sinh cấp ba	高中生	고등학생

でます　出ます	graduate	tamat, lulus	จบการศึกษา, เรียนจบ
せいふく　制服	uniform	baju seragam	เครื่องแบบ
かみがた　髪型	hair style	model rambut	ทรงผม
じゆう[な]　自由[な]	free	bebas (dengan bebas)	อิสระ
クラブ	club	ekstra kurikuler	ชมรม, คลับ
せいと　生徒	pupil, student	murid	นักเรียน
きそく　規則	regulation, rule	peraturan	กฎ, ข้อบังคับ
そめます　染めます	dye	mengecat	ย้อม
ピアスをします	wear pierced earrings	beranting-anting	ใส่ต่างหู
けしょうをします　化粧をします	make up	berdandan	แต่งหน้า
かたち　形	form, shape	model, form, bentuk	รูปร่างลักษณะ, รูปแบบ
かえます　変えます	change	mengubah	เปลี่ยน
ていじせいこうこう　定時制高校	part-time high school	SMA malam	โรงเรียนมัธยมศึกษาตอนปลายที่เป็นหลักสูตรภาคการเรียนพิเศษส่วนใหญ่มีชั่วโมงเรียนเวลากลางคืน
いろ　色	color	warna	สี
しょうかいします　紹介します	introduce	memperkenalkan	แนะนำ

第15課　プラスアルファ　日本(にほん)の　高校生(こうこうせい)に　聞(き)きました

こうこうせい　高校生	(senior) high school student	siswa SMA	นักเรียนมัธยมศึกษาตอนปลาย
ききます　聞きます	ask	bertanya	ถาม
まあ	so-so	yaaa...	เฉย ๆ
むかいとう　無回答	non-respondent	tidak jawab	ไม่ตอบ, ไม่ออกความเห็น
ふだん	usually	biasa	ปกติ
ほとんど	scarcely (in negative sentences)	hampir, sebagian besar	แทบจะไม่...
～いじょう　～以上	not less than ～, over ～	～ ke atas	ตั้งแต่～ขึ้นไป
クラブ	club	ekstra kurikuler	ชมรม, คลับ
はいります　入ります	join	masuk, mengikuti	เข้า
たいいくけい　体育系	sports/athletic (activities)	golongan olah raga	(ชมรม) เกี่ยวกับกีฬา
ぶんかけい　文化系	cultural (activities)	golongan budaya	(ชมรม) เกี่ยวกับวัฒนธรรม
しょうらい　将来	future	masa depan	อนาคต
りゅうがくします　留学します	study abroad	studi di luar negeri	ศึกษาต่อต่างประเทศ
どちらかといえば	rather, relatively	dibandingkan dengan	ค่อนข้างจะ
やく　約	about, approximately	sekitar	ประมาณ, ราว ๆ
がっこうせいど　学校制度	school system	sistem pendidikan	ระบบโรงเรียน
だいがくいん　大学院	graduate school	pasca sarjana	บัณฑิตวิทยาลัย
はくしかてい　博士課程	doctor's course	S2	หลักสูตรปริญญาเอก

でます　出ます	ra trường	毕业	나옵니다
せいふく　制服	đồng phục	制服	제복
かみがた　髪型	kiểu tóc	发型	헤어스타일
じゆう[な]　自由[な]	tự do	随便	자유
クラブ	câu lạc bộ	俱乐部	클럽，써클
せいと　生徒	học sinh	学生	학생
きそく　規則	quy định	规则	규칙
そめます　染めます	nhuộm	染	물들이다
ピアスをします	đeo khuyên tai	戴耳环	귀걸이를합니다
けしょうをします　化粧をします	trang điểm	化妆	화장을 합니다
かたち　形	hình dáng, hình thức	样式	모양
かえます　変えます	thay đổi	变	바꿉니다
ていじせいこうこう　定時制高校	trường bổ túc văn hóa cấp ba	定时制高中（指夜校等非全日制高中）	정시제 고등학교
いろ　色	màu		색
しょうかいします　紹介します	giới thiệu	介绍	소개합니다

第15課　プラスアルファ　日本の　高校生に　聞きました

こうこうせい　高校生	học sinh cấp ba	高中生	고등학생
ききます　聞きます	hỏi	问	묻습니다
まあ	bình thường	还可以	그럭저럭
むかいとう　無回答	không trả lời	未回答	무답변
ふだん	thông thường	平时	평소
ほとんど	hầu như (dùng trong câu phủ định)	几乎（后接否定）	거의
～いじょう　～以上	từ ～ trở lên	～以上	～이상
クラブ	câu lạc bộ	俱乐部	클럽，써클
はいります　入ります	vào, tham gia	加入	들어갑니다
たいいくけい　体育系	thể thao	体育类（俱乐部活动的类别）	체육계
ぶんかけい　文化系	văn hóa	文化类（俱乐部活动的类别）	문화계
しょうらい　将来	tương lai	将来	장래
りゅうがくします　留学します	lưu học	留学	유학합니다
どちらかといえば	nếu nói để chọn thì là	二者择一的话	어느 쪽이냐 하면
やく　約	khoảng	大约	약
がっこうせいど　学校制度	cơ chế trường học	学制	학교제도
だいがくいん　大学院	cao học	研究生院	대학원
はくしかてい　博士課程	cao học tiến sỹ	博士课程	박사과정

しゅうしかてい　修士課程	master's course	S3	หลักสูตรปริญญาโท
たんきだいがく　短期大学	junior college	diploma	วิทยาลัย
せんもんがっこう　専門学校	technical college, vocational school	sekolah kejuruan	วิทยาลัยอาชีวศึกษา
こうとうせんしゅうがっこう　高等専修学校	upper secondary specialized training school	sekolah jurusan teknis dalam jangka waktu 5 tahun	โรงเรียนเทคนิค
ぎむきょういく　義務教育	compulsory education	pendidikan wajib	การศึกษาภาคบังคับ
ちゅうがっこう　中学校	junior high school	SMP	โรงเรียนมัธยมศึกษาตอนต้น
しょうがっこう　小学校	elementary school	SD	โรงเรียนประถมศึกษา

第16課　本文　想像(そうぞう)の　動物(どうぶつ)

そうぞうの　想像の	imaginary	imajinasi, bayangan	จินตนาการ
どうぶつ　動物	animal	binatang	สัตว์
ーほん　ー本	(counter for long objects)	– kaki (kata bantu bilangan untuk benda panjang)	—ด้าม, —แท่ง, —ขวด, —ขา (ลักษณนามของสิ่งที่มีลักษณะยาวหรือเป็นเส้น)
かぜ　風	wind	angin	ลม
かみさま　神様	God	Tuhan	เทพเจ้า
ヨーロッパ	Europe	Eropa	ยุโรป
ーメートル	– meter	– meter	—เมตร
みどりいろ　緑色	green	hijau	สีเขียว
さら　皿	plate	piring	จาน
おく　奥	the depth	dalam	ลึก, ส่วนลึก
おうぎ　扇	fan	kipas	พัด
はんぶん　半分	half	setengah	ครึ่งหนึ่ง
ギリシャ	Greece	Yunani	กรีซ
うま　馬	horse	kuda	ม้า
しょうかいします　紹介します	introduce	memperkenalkan	แนะนำ

第17課　本文　江戸時代(えどじだい)

えどじだい　江戸時代	Edo period (1603-1868)	zaman Edo (1603-1868)	สมัยเอโดะ (1603-1868)
やく　約	about, approximately	sekitar	ประมาณ, ราว ๆ
じだい　時代	period	zaman	ยุค, สมัย
きそく　規則	regulation, rule	peraturan	กฎ, ข้อบังคับ
また	also	dan	อีก, นอกจากนี้
キリストきょう　キリスト教	Christianity	agama Kristen	ศาสนาคริสต์
しんじます　信じます	believe	menganut	เชื่อ, ศรัทธา
とうろくします　登録します	register	mendaftar	ลงทะเบียน

しゅうしかてい 修士課程	cao học thạc sỹ	硕士课程	석사과정
たんきだいがく 短期大学	trường cao đẳng	短期大学	단기대학
せんもんがっこう 専門学校	trường dạy nghề	专科学校	전문학교
こうとうせんしゅうがっこう 高等専修学校	trường trung cấp	高等专科学校	기술고등학교
ぎむきょういく 義務教育	giáo dục bắt buộc	义务教育	의무교육
ちゅうがっこう　中学校	trung học cơ sở, trường cấp hai	初中	중학교
しょうがっこう　小学校	tiểu học, trường cấp một	小学	초등학교

第16課　本文　想像(そうぞう)の　動物(どうぶつ)

そうぞうの　想像の	tưởng tượng	想象的	상상의
どうぶつ　動物	động vật	动物	동물
ーほん　ー本	– cái (lượng từ đếm vật có hình thù dài)	一条（数细长东西时使用的量词）	一개（긴 것을 셀 때 쓰이는 조수사）
かぜ　風	gió	风	바람
かみさま　神様	thần	神	신
ヨーロッパ	châu Âu	欧洲	유럽
ーメートル	– m, – mét	一米	一미터
みどりいろ　緑色	xanh lá cây	绿色	녹색
さら　皿	đĩa	碟子	접시
おく　奥	vùng sâu	深处、里面	구석
おうぎ　扇	quạt	扇子	부채
はんぶん　半分	một nửa	一半	절반
ギリシャ	Hy Lạp	希腊	그리스
うま　馬	ngựa	马	말
しょうかいします 紹介します	giới thiệu	介绍	소개합니다

第17課　本文　江戸時代(えどじだい)

えどじだい　江戸時代	thời kỳ Ê-đô (1603-1868)	江户时代（1603–1868）	에도 시대（1603-1868）
やく　約	khoảng	大约	약
じだい　時代	thời, thời kỳ, thời đại	时代	시대
きそく　規則	quy định, quy tắc, luật lệ	规则	규칙
また	ngoài ra	另外、还有	또한
キリストきょう キリスト教	đạo Thiên chúa	基督教	기독교
しんじます　信じます	tin	信	믿습니다
とうろくします 登録します	đăng ký	登记	등록합니다

はん　藩	prefecture in the Edo period	prefektur pada waktu zaman Edo	แคว้นการปกครองสมัยเอโดะ
だいみょう　大名	Japanese feudal lord	raja feodal Jepang pada waktu zaman Edo	ไดเมียว (เจ้าผู้ครองแคว้น)
じぶん　自分	oneself	sendiri, sendirian	ตัวเอง, ตนเอง
えど　江戸	old name of Tokyo	nama daerah Tokyo zaman dulu	ชื่อเดิมของโตเกียว
ちょうなん　長男	eldest son	putra sulung	ลูกชายคนโต
いろいろ	various	macam-macam	หลากหลาย, ต่าง ๆ นานา
へいわ[な]　平和[な]	peaceful	damai	สันติภาพ, สงบสุข
でじま　出島	reclaimed island in Nagasaki in the Edo period	pulau terdapat di Nagasaki pada waktu zaman Edo	ในอดีตเป็นเกาะที่ติดต่อค้าขายกับต่างชาติ อยู่ที่นางาซากิ
みぶん　身分	social class	status, kedudukan	สถานสภาพ, สถานะทางสังคม
おもな　主な	main	utama	หลัก ๆ, สำคัญ
ぶし　武士	Samurai, warrior	kesatria, *Samurai*	ซามูไร, นักรบ
のうみん　農民	farmer, peasant	petani	ชาวไร่ชาวนา, เกษตกร
しょくにん　職人	artisan, craftman	tukang	ช่าง
しょうにん　商人	merchant	pedagang	พ่อค้า

第18課　本文　個人旅行(こじんりょこう)？　団体旅行(だんたいりょこう)？

こじん　個人	individual, private, personal	pribadi, individu, personal	ส่วนตัว, ส่วนบุคคล
だんたい　団体	group	rombongan, kelompok, grup	กลุ่ม, หมู่, คณะ
でも	but	tetapi	แต่
ちがいます　違います	be different	berbeda	ไม่เหมือนกัน, แตกต่าง
いけん　意見	opinion	pendapat	ความคิดเห็น
じぶんで　自分で	by oneself	dengan sendiri, sendirian	ด้วยตัวเอง, ด้วยตนเอง
ビザ	visa	visa	วีซ่า
スケジュール	schedule	jadwal, skedul, rencana	กำหนดการ
りょこうがいしゃ　旅行会社	travel agency	perusahaan biro perjalanan	บริษัทนำเที่ยว
じゆうに　自由に	freely	dengan bebas	อย่างอิสระ
せつめい　説明	explanation	keterangan, uraian	การอธิบาย

第18課　プラスアルファ　ここは　どこですか

でも	but	tetapi	แต่
きもちがいい　気持ちがいい	pleasant, agreeable	merasa enak, nyaman	รู้สึกดี, รู้สึกสบาย
ぜったいに　絶対に	absolutely	sama sekali tidak	อย่างแน่นอน, อย่างเด็ดขาด
こえ　声	voice	suara	เสียง
だします　出します	put out	mengeluarkan	ยื่นออกไป
おんせん　温泉	hot spring, spa	permandian air panas	อนเซน, น้ำพุร้อน
えいがかん　映画館	movie theater	gedung bioskop	โรงภาพยนตร์

はん　藩	phiên (cấp tỉnh thời Ê-đô)	藩（江户时代诸侯的领地）	江戸 시대의 大名의 영지
だいみょう　大名	lãnh chúa	诸侯	넓은 영지를 가진 무사
じぶん　自分	mình, của mình	自己	자신
えど　江戸	tên của Tô-ki-ô ngày nay	东京以前的名字	東京의 예전 이름
ちょうなん　長男	trưởng nam, con trai trưởng	长子	장남
いろいろ	nhiều	各种各样	여러 가지
へいわ[な]　平和[な]	hòa bình	和平	평화롭다
でじま　出島	hòn đảo nhân tạo được tạo ra tại Nagasaki thời Ê-đô	江户时代建造于长崎的人工岛	江戸 시대 때 長崎에 바다를 메워 만든 섬
みぶん　身分	đẳng cấp xã hội	身份	신분
おもな　主な	chính	主要	주된
ぶし　武士	Samurai, võ sỹ	武士	무사
のうみん　農民	nông dân	农民	농민
しょくにん　職人	thợ thủ công	手艺人	장인，직인
しょうにん　商人	thương nhân	商人	상인

第18課　本文　個人旅行？　団体旅行？

こじん　個人	cá nhân	个人	개인
だんたい　団体	nhóm, đoàn	团体	단체
でも	nhưng	不过	하지만
ちがいます　違います	khác nhau	不一样	다릅니다
いけん　意見	ý kiến	意见	의견
じぶんで　自分で	tự, tự mình	自己	혼자서
ビザ	visa	签证	비자
スケジュール	lịch trình	日程	스케줄
りょこうがいしゃ　旅行会社	công ty du lịch	旅行社	여행사
じゆうに　自由に	tự do	随意	자유롭게
せつめい　説明	thuyết minh	说明	설명

第18課　プラスアルファ　ここは　どこですか

でも	nhưng	不过	하지만
きもちがいい　気持ちがいい	dễ chịu	舒服	기분이 좋다
ぜったいに　絶対に	tuyệt đối	绝对	절대로
こえ　声	tiếng	声音	목소리
だします　出します	thò	伸出（伸出头或手的意思）	（손이나 얼굴을）내밉니다
おんせん　温泉	suối nóng	温泉	온천
えいがかん　映画館	rạp chiếu phim	电影院	영화관

第19課　本文　相撲(すもう)

まえ	before	yang lalu	เมื่อ...ก่อน
てんのう　天皇	Emperor of Japan	Kaisar Jepang	จักรพรรดิ
さむらい　侍	Samurai, warrior	*Samurai*, kesatria	ซามูไร
えどじだい　江戸時代	Edo period (1603-1868)	zaman Edo (1603-1868)	สมัยเอโดะ (1603-1868)
プロ	professional	profesional	มืออาชีพ, ผู้เชี่ยวชาญ
まいとし　毎年	every year	setiap tahun	ทุกปี
たくさんのひと　たくさんの人	many people	banyak orang	หลายคน, คนจำนวนมาก
りきし　力士	sumo wrestler	pesumo	นักซูโม่
らくご　落語	traditional comic story	cerita lawakan tradisional di Jepang dengan banyolan di akhirnya	ศิลปะการเล่าเรื่องขบขันโดยคนคนเดียวซึ่งสืบทอดต่อกันมาตั้งแต่ดั้งเดิม
しゅじんこう　主人公	hero	pemeran utama	ตัวละครเอก, ตัวละครนำ
モンゴル	Mongolia	Mongol	มองโกเลีย
ロシア	Russia	Rusia	รัสเซีย
かちます　勝ちます	win	menang	ชนะ
きまりて　決まり手	winning trick	teknik kemenangan	ท่าไม้ตาย, เทคนิคการเอาชนะในการแข่งขันซูโม่

第20課　本文　伊能忠敬(いのうただたか)の一生(いっしょう)

いっしょう　一生	life	seumur hidup	ชั่วชีวิต, ตลอดชีวิต
うまれます　生まれます	be born	lahir	เกิด, กำเนิด
さかや　酒屋	liquor shop	toko minuman keras	ร้านขายเหล้า
こめや　米屋	rice shop	toko beras	ร้านขายข้าวสาร
します	run	mengelolah	ทำ/ดำเนิน (กิจการ)
じぶんで　自分で	by oneself	dengan sendiri, sendirian	ด้วยตัวเอง, ด้วยตนเอง
そくりょうします　測量します	survey	mensurvei tanah, mengukur	สำรวจที่ดิน, วัดขนาดตำแหน่งของที่ดิน
てんめいのだいききん　天明の大飢饉	the Great Famine in the era of Tenmei	kelaparan pada zaman Tenmei	ทุพภิกขภัยแห่งปีเทมเม, ภาวะข้าวยากหมากแพงที่เกิดขึ้นช่วงกลางสมัยเอโดะ
だします　出します	offer	menyumbang, mengeluarkan	หยิบยื่น, ออก (เงิน)
むら　村	village	desa	หมู่บ้าน
たすけます　助けます	help, save	membantu	ช่วยเหลือ
やめます	quit	meninggalkan, berhenti	ลาออก, เลิก
えど　江戸	old name of Tokyo	nama daerah dauhulu untuk Tokyo	ชื่อเดิมของโตเกียว
てんもんがく　天文学	astronomy	astronomi	ดาราศาสตร์
にほんじゅう　日本中	all over Japan	seluruh Jepang	ทั่วญี่ปุ่น
なくなります　亡くなります	pass away	meninggal dunia	เสียชีวิต, ตาย
できます	be completed	terselesaikan	สำเร็จ, เสร็จสมบูรณ์

第19課　本文　相撲（すもう）

まえ	trước	前（表示时间）	(이)전
てんのう　天皇	Thiên hoàng	天皇	천황
さむらい　侍	Samurai, võ sỹ	武士	무사
えどじだい　江戸時代	Thời kỳ Ê-đô (1603-1868)	江户时代(1603−1868)	에도 시대（1603−1868）
プロ	chuyên nghiệp	职业	프로
まいとし　毎年	hàng năm	每年	매년，해마다
たくさんのひと　たくさんの人	nhiều người	很多人	많은 사람들
りきし　力士	lực sỹ	力士	씨름꾼
らくご　落語	Rakugo (độc diễn tấu hài truyền thống)	单口相声	만담
しゅじんこう　主人公	nhân vật chính	主人公	주인공
モンゴル	Mông Cổ	蒙古	몽골
ロシア	Nga	俄罗斯	러시아
かちます　勝ちます	thắng	赢、获胜	이깁니다
きまりて　決まり手	miếng đánh quyết định	（相扑）决定胜负的一招	결정적인 수

第20課　本文　伊能忠敬（いのうただたか）の一生（いっしょう）

いっしょう　一生	cuộc đời	一生	일생
うまれます　生まれます	(được) sinh	生，出生	태어납니다
さかや　酒屋	cửa hàng rượu	酒店	술 판매점
こめや　米屋	cửa hàng gạo	米店	쌀집
します	kinh doanh	做、经营	(쌀집，꽃집 등을) 운영합니다
じぶんで　自分で	tự, tự mình	自己	혼자서
そくりょうします　測量します	đo đạc	测量	측량합니다
てんめいのだいききん　天明の大飢饉	Nạn đói thời Tên-mêi	天明大饥荒（江户时代中期发生的大饥荒）	江戸시대 중기（天明）에 발생한 기근
だします　出します	bỏ (tiền) ra	拿出（钱）	(돈을) 냅니다
むら　村	làng	村子	마을
たすけます　助けます	giúp đỡ, cứu giúp	帮助	돕습니다
やめます	bỏ	辞（职）	그만둡니다
えど　江戸	tên của Tô-ki-ô ngày nay	东京以前的名字	東京의 예전 이름
てんもんがく　天文学	thiên văn học	天文学	천문학
にほんじゅう　日本中	khắp Nhật Bản	日本各地	일본 전역
なくなります　亡くなります	mất	逝去	돌아가십니다
できます	(được) hoàn thành	完成	완성됩니다

えどじだい　江戸時代	Edo period (1603-1868)	zaman Edo (1603-1868)	สมัยเอโดะ (1603-1868)
せいかく[な]　正確[な]	accurate	akurat	ถูกต้อง, แม่นยำ
ーさいで　ー歳で	at the age of –	pada usia –	ตอนอายุ –
でしたち　弟子たち	pupils	murid-murid	เหล่าลูกศิษย์
かんせいします　完成します	complete	selesai dibuat	ทำเสร็จสมบูรณ์
デザイン	design	desain	การออกแบบ, ดีไซน์

第20課　プラスアルファ　クイズ　地図(ちず)の　記号(きごう)

クイズ	quiz	teka-teki	ควิซ, คำถาม
きごう　記号	mark	aksara	สัญลักษณ์, เครื่องหมาย
おんせん　温泉	hot spring, spa	permandian air panas	อนเซน, น้ำพุร้อน
ろうじんホーム　老人ホーム	home for the aged	rumah jompo	บ้านพักคนชรา
ひじょうぐち　非常口	emergency exit	pintu darurat	ทางออกฉุกเฉิน
ちがいます　違います	be different	berbeda	แตกต่าง, ไม่เหมือนกัน
きんきゅうひなんばしょ　緊急避難場所	evacuation area in emergency	tempat pengungsian darurat	พื้นที่อพยพในกรณีฉุกเฉิน, สถานที่หลบภัยฉุกเฉิน

クイズ　日本(にほん)の　地理(ちり)

クイズ	quiz	teka-teki	ควิซ, คำถาม
ちり　地理	geography	geologi	ภูมิศาสตร์
しまぐに　島国	island country	negara kepulauan	ประเทศที่มีลักษณะเป็นเกาะ
しま　島	island	pulau	เกาะ
かいがんせん　海岸線	coast line	garis pantai	แนวชายฝั่ง
ーキロメートル	– kilometer	– kilometer	– กิโลเมตร
カナダ	Canada	Kanada	แคนาดา

第21課　本文　雨(あめ)　降(ふ)って、地(じ)　固(かた)まる

あめふって、じかたまる　雨降って、地固まる	After a storm comes a calm.	Setelah hujan, tanah menjadi semakin padat.	ฟ้าหลังฝน (ย่อมสดใสเสมอ)
そうだん　相談	consultation	konsultasi	การปรึกษา
ごみ	garbage	sampah	ขยะ
じぶん　自分	oneself	sendiri	ตัวเอง, ตนเอง
ただしい　正しい	correct, right	betul, benar	ถูกต้อง
なかなおりします　仲直りします	make up after a quarrel	baikan kembali	ปรับความเข้าใจกัน, คืนดีกัน
アドバイス	advice	advis, nasihat	คำแนะนำ
かいとう　回答	reply	jawaban	คำตอบ
ごめんね。	I'm sorry.	Maaf, ya.	ขอโทษนะ
こと	thing, matter	hal	เรื่อง, สิ่ง
けんか	quarrel	pertengkaran, perkelahian	การทะเลาะ
おなじ　同じ	same	sama	เหมือนกัน
ふうふ　夫婦	married couple	suami-istri	คู่สามีภรรยา

えどじだい　江戸時代	Thời kỳ Ê-đô (1603-1868)	江户时代（1603–1868）	에도 시대（1603–1868）
せいかく[な]　正確[な]	chính xác	正确	정확한
ーさいで　ー歳で	cho đến – tuổi	（在）ー岁	ー살에
でしたち　弟子たち	các đệ tử	弟子	제자들
かんせいします　完成します	hoàn thành	完成	완성합니다
デザイン	thiết kế	设计	디자인

第20課　プラスアルファ　クイズ　地図(ちず)の　記号(きごう)

クイズ	câu đố	智力问答	퀴즈
きごう　記号	ký hiệu	记号	신호
おんせん　温泉	suối nóng	温泉	온천
ろうじんホーム　老人ホーム	nhà dưỡng lão	养老院	고령자를 보호 수용하는 시설의 총칭
ひじょうぐち　非常口	cửa thoát hiểm	紧急出口	비상구
ちがいます　違います	khác nhau	不一样	다릅니다
きんきゅうひなんばしょ　緊急避難場所	nơi lánh nạn khẩn cấp	紧急避难场所	재해시 피난장소

クイズ　日本(にほん)の　地理(ちり)

クイズ	câu đố	智力问答	퀴즈
ちり　地理	địa lý	地理	지리
しまぐに　島国	quốc đảo	岛国	섬나라
しま　島	đảo	岛屿	섬
かいがんせん　海岸線	đường bờ biển	海岸线	해안선
ーキロメートル	– km, – ki-lô-mét	ー公里	ー킬로미터
カナダ	Ca-na-đa	加拿大	캐나다

第21課　本文　雨(あめ)　降(ふ)って、地(じ)　固(かた)まる

あめふって、じかたまる　雨降って、地固まる	Mưa càng rơi, đất càng cứng.	不打不成交。	비 온 뒤에 땅이 더 굳어진다.
そうだん　相談	bàn bạc, trao đổi	商量	상담
ごみ	rác	垃圾	쓰레기
じぶん　自分	mình, bản thân	自己	자기，자신
ただしい　正しい	đúng	正确	옳다
なかなおりします　仲直りします	làm lành	和好	화해합니다
アドバイス	lời khuyên	忠告	어드바이스
かいとう　回答	trả lời	回答	회답
ごめんね。	Xin lỗi nhé!	对不起。	미안해.
こと	điều, việc	事情	일，것
けんか	cãi nhau	吵架	싸움，다툼
おなじ　同じ	giống	同样，一样	같다
ふうふ　夫婦	vợ chồng, cặp đôi	夫妇	부부

いみ　意味	meaning	arti	ความหมาย
あい　愛	love	cinta	ความรัก

第21課　プラスアルファ　結婚(けっこん)!!??

アンケート	questionnaire	angket	แบบสอบถาม
じぶん　自分	oneself	sendiri, sendirian	ตัวเอง, ตนเอง
ひとり　一人	alone, by oneself	sendirian, seorang diri	คนเดียว, ลำพัง
さびしい　寂しい	lonely	sepi	เหงา, เปล่าเปลี่ยว
そのた　その他	others	dan lain-lain	อื่น ๆ
じゆう[な]　自由[な]	free	bebas	อิสระ, เสรี
ききます　聞きます	ask, inquire	bertanya	ถาม
あいて　相手	partner	pasangan	ฝ่ายตรงข้าม, อีกฝ่าย
じょうけん　条件	condition	kondisi, syarat	เงื่อนไข
せいかく　性格	character, personality	sifat, kepribadian	นิสัย
ねんれい　年齢	age	umur	อายุ
がくれき　学歴	educational background	riwayat pendidikan	ประวัติการศึกษา
しまい　姉妹	sisters	saudari	พี่น้องผู้หญิง
しょうかい　紹介	introduction	perkenalan	การแนะนำ
なんさいで　何歳で	at which age	pada umur berapa	ตอนอายุเท่าไร
りこんします　離婚します	divorce	bercerai	หย่า
－くみ　－組	– pair	– pasangan	–คู่

第22課　本文　テレビ放送(ほうそう)

ほうそう　放送	broadcasting	siaran	การแพร่ภาพ, การกระจายเสียง
そのとき	at that time	waktu itu	ตอนนั้น
サラリーマン	an office worker	pegawai kantor	พนักงานบริษัท, มนุษย์เงินเดือน
きゅうりょう　給料	salary	gaji	เงินเดือน
たくさんのひと　たくさんの人	many people	banyak orang	หลายคน, คนจำนวนมาก
びっくりします	be surprised	terkejut, kaget	ตกใจ
こうたいし　皇太子	Crown Prince	putra mahkota	มกุฎราชกุมาร
けっこんしき　結婚式	wedding ceremony	upacara pernikahan	พิธีสมรส, พิธีแต่งงาน
アジア	Asia	Asia	เอเชีย
オリンピック	Olympic Games	Olimpiade	มหกรรมกีฬาโอลิมปิก
カラーテレビ	color TV	televisi berwarna	โทรทัศน์สี
ばんぐみ　番組	program	acara TV	รายการ (วิทยุ, โทรทัศน์)
まいしゅう　毎週	every week	setiap minggu	ทุกสัปดาห์

第22課　プラスアルファ　テレビ番組(ばんぐみ)

ばんぐみ　番組	program	acara TV	รายการ (วิทยุ, โทรทัศน์)
チャンネル	channel	saluran	ช่อง (โทรทัศน์)

いみ　意味	ý nghĩa	意思	의미
あい　愛	tình yêu	爱	사랑

第21課　プラスアルファ　結婚(けっこん)!!??

アンケート	thăm dò khảo sát	问卷调查、民意测验	앙케이트
じぶん　自分	mình, bản thân	自己	자기, 자신
ひとり　一人	một mình	单身	혼자
さびしい　寂しい	buồn	寂寞	외롭다
そのた　その他	khác	其他	그 밖에
じゆう[な]　自由[な]	tự do	自由	자유
ききます　聞きます	hỏi	询问	묻습니다
あいて　相手	bạn đời	对方	상대
じょうけん　条件	điều kiện	条件	조건
せいかく　性格	tính cách	性格	성격
ねんれい　年齢	tuổi tác	年龄	연령
がくれき　学歴	học vấn	学历	학력
しまい　姉妹	chị em	姐妹	자매
しょうかい　紹介	giới thiệu	介绍	소개
なんさいで　何歳で	vào năm bao nhiêu tuổi	（在）多大	몇 살에
りこんします　離婚します	li hôn	离婚	이혼
ーくみ　ー組	– cặp	ー对	ー쌍

第22課　本文　テレビ放送(ほうそう)

ほうそう　放送	phát sóng	广播	방송
そのとき	lúc đó	当时	그 때
サラリーマン	dân văn phòng, người làm công ăn lương	上班族	샐러리맨
きゅうりょう　給料	lương	工资	봉급
たくさんのひと　たくさんの人	nhiều người	很多人	많은 사람들
びっくりします	ngạc nhiên	吃惊	깜짝 놀랍니다
こうたいし　皇太子	Hoàng thái tử	皇太子	황태자
けっこんしき　結婚式	lễ cưới	婚礼	결혼식
アジア	châu Á	亚洲	아시아
オリンピック	Ô-lim-píc, Thế vận hội	奥林匹克	올림픽
カラーテレビ	ti vi mầu	彩电	컬러 텔레비전
ばんぐみ　番組	chương trình	（电视广播）节目	프로그램
まいしゅう　毎週	hàng tuần	每周	매주

第22課　プラスアルファ　テレビ番組(ばんぐみ)

ばんぐみ　番組	chương trình	（电视广播）节目	프로그램
チャンネル	kênh	频道	채널

オランダ	Netherlands, Holland	Belanda	เนเธอร์แลนด์
とくべつばんぐみ　特別番組	special program	acara TV khusus	รายการพิเศษ

東京(とうきょう)スカイツリーと　法隆寺五重塔(ほうりゅうじごじゅうのとう)

ほうりゅうじ　法隆寺	a temple in Nara prefecture	Horyuji, kuil yang ada di Nara	วัดในนาระ
ごじゅうのとう　五重塔	five-story pagoda	Gojyu no To (pagoda bersusun lima)	เจดีย์ห้าชั้น
できます	be completed	dapat	เสร็จสมบูรณ์
でんぱとう　電波塔	broadcasting tower	menara gelombang pemancar	หอคอยปล่อยคลื่นสัญญาณ
たかさ　高さ	at the level of	tingginya	ความสูง
てんぼうだい　展望台	observation deck	dek peninjau	จุดชมวิว
たてもの　建物	building	bangunan	อาคาร, ตึก, สิ่งก่อสร้าง
じしん　地震	earthquake	gempa bumi	แผ่นดินไหว
かぜ　風	wind	angin	ลม
こうぞう　構造	construction	struktur	โครงสร้าง
さんこうに　参考に	by reference	sebagai referensi	อ้างอิง

第23課　本文　コーヒーを　飲(の)むと

オランダ	Netherlands, Holland	Belanda	เนเธอร์แลนด์
めいじじだい　明治時代	Meiji period (1868-1912)	zaman Meiji(1868-1912)	สมัยเมจิ (1868-1912)
－はい(－ぱい、－ばい)　－杯	– glass or cup of (counter for full cups, glasses, etc)	– gelas, – cangkir (kata bantu bilangan untuk cangkir, gelas dll)	－ถ้วย, －แก้ว (ลักษณนามของถ้วยหรือแก้ว)
ところで	by the way	ngomong-ngomong	ว่าแต่ (คำพูดเกริ่นนำเวลาจะเปลี่ยนเรื่องพูด)
じつは　実は	actually	sebenarnya	อันที่จริง, ความจริงแล้ว
はたらき　働き	effect, function	kasiat, efek	การทำงาน, ประสิทธิภาพ
トラック	truck	truk	รถบรรทุก
うんてんしゅ　運転手	driver	supir	คนขับรถ
けいさん　計算	calculation	perhitungan	การคำนวณ
まちがい	mistake	salah, kesalahan	ข้อผิดพลาด
リラックスします	relax	bersantai-santai	ผ่อนคลาย
また	also	dan	และ, อีกทั้ง
(～と)おなじ　(～と)同じ	same as ～	sama dengan ～	เท่ากับ～, เหมือนกับ～
インスタントコーヒー	instant coffee	kopi instan	กาแฟกึ่งสำเร็จรูป
はつめいします　発明します	invent	menciptakan	ประดิษฐ์, คิดค้น
シカゴ	Chicago	Chicago	ชิคาโก
ふんまつ　粉末	powder	bubuk	ผง
はっぴょうします　発表します	introduce	memperkenalkan	นำเสนอ

オランダ	Hà Lan	荷兰	네덜란드
とくべつばんぐみ　特別番組	chương trình đặc biệt	特别节目	특별프로그램

東京スカイツリーと　法隆寺五重塔

ほうりゅうじ　法隆寺	đền Hô-riu-ji (ở Nara)	法隆寺（位于奈良的寺庙）	호류지（奈良에 있는 유명한 절의 이름）
ごじゅうのとう　五重塔	Ngũ trọng tháp	五重塔	法隆寺에 있는 오층 목조탑
できます	(được) hoàn thành	完成	완성됩니다
でんぱとう　電波塔	tháp truyền hình	广播电视发射塔	전파탑
たかさ　高さ	độ cao	高度	높이
てんぼうだい　展望台	đài quan sát	眺望台	전망대
たてもの　建物	tòa nhà	建筑	건물
じしん　地震	động đất	地震	지진
かぜ　風	gió	风	바람
こうぞう　構造	kết cấu	构造	구조
さんこうに　参考に	tham khảo	参考	참고로

第23課　本文　コーヒーを　飲むと

オランダ	Hà Lan	荷兰	네덜란드
めいじじだい　明治時代	Thời kỳ Minh Trị (1868-1912)	明治时代（1868–1912）	메이지 시대(1868–1912）
–はい(–ぱい、–ばい)　–杯	– cốc (lượng từ đếm những thứ đựng trong cố, ly, chén…)	–杯（数盛在杯中的饮料、液体时使用的量词）	–잔（유리잔이나 컵을 셀 때 쓰이는 조수사）
ところで	tuy nhiên	但是（用于转换话题时）	그런데
じつは　実は	thực ra	实际上	실은
はたらき　働き	tác dụng, làm việc	影响、活动	반응，효능
トラック	xe tải	卡车	트럭
うんてんしゅ　運転手	tài xế	司机	운전수
けいさん　計算	tính toán	计算	계산
まちがい	lỗi	错误	틀림
リラックスします	thư giãn	放松	릴랙스합니다
また	ngoài ra	另外、还有	또한，게다가
(～と)おなじ　(～と)同じ	giống ～, giống như ～	和～一样	～과/와 같은 N
インスタントコーヒー	cà phê hòa tan	速溶咖啡	인스턴트 커피
はつめいします　発明します	phát minh	发明	발명합니다
シカゴ	Chi-ca-gô	芝加哥	시카고
ふんまつ　粉末	bột	粉末	분말
はっぴょうします　発表します	công bố, cho ra mắt	发布，发表	발표합니다

しかし	but	tetapi	แต่
～がいしゃ　～会社	～ company	perusahaan ～	บริษัท～
ほうほう　方法	method	cara	วิธี

第24課　本文　日本語(にほんご)で　お願(ねが)いします

きんじょ　近所	neighborhood	tetangga	บ้านใกล้เรือนเคียง, แถวบ้าน, ใกล้ ๆ บ้าน
しつもんします　質問します	ask a question	bertanya	ถามคำถาม
こたえます　答えます	answer	menjawab	ตอบ
いっしょうけんめい　一生懸命	with all one's effort	sungguh-sungguh, dengan sekuat tenaga	อย่างตั้งใจ, อย่างขยันขันแข็ง
このあいだ　この間	the other day	kemarin, beberapa hari yang lalu	วันก่อน, เมื่อเร็ว ๆ นี้
だめ、だめ。	No, no.	Jangan, jangan!	ไม่, ไม่ได้, ไม่ใช่
こんどは　今度は	next	kemudian	คราวหน้า, ครั้งถัดไป
ライブラリー	library	perpustakaan	ห้องสมุด

第24課　プラスアルファ　それ、英語(えいご)？

いみ　意味	meaning	arti, makna	ความหมาย
ガソリン	gasoline, petrol	bensin	น้ำมันเบนซิน, น้ำมันเชื้อเพลิง
ソファ	sofa	sofa	โซฟา

第25課　本文　将来(しょうらい)は…

しょうらい　将来	future	masa depan	อนาคต
おなじ　同じ	same	sama	เหมือนกัน
みつかります　見つかります	be found	menemukan	หาพบ, ค้นพบ
じぶん　自分	oneself	sendiri, sendirian	ตัวเอง, ตนเอง
けいけんします　経験します	experience	mengalami	มีประสบการณ์
ほんとうは	actually	sebenarnya	ความจริงแล้ว
ミュージシャン	musician	musisi, pemain musik	นักดนตรี
いくら～[ても]	however ～, even if ～	walaupun ～	ไม่ว่าจะ～เท่าไรก็ตาม
あんていした　安定した	steady, stable	stabil	มั่นคง, มีเสถียรภาพ
しあわせ[な]　幸せ[な]	happy	gembira, senang	ความสุข
けんか	quarrel, fight	pertengkaran, perkelahian	การทะเลาะ
げきだん　劇団	theatrical company	grup teater	คณะละคร
はいります　入ります	join	masuk	เข้าร่วม
えんげき　演劇	drama	sandiwara, drama	การละคร
せいかつします　生活します	live	hidup	ใช้ชีวิต
こうかいします　後悔します	regret	menyesal	เสียใจภายหลัง

しかし	song, nhưng	但是	하지만
～がいしゃ　～会社	công ty ～	～公司	～회사
ほうほう　方法	phương pháp	方法	방법

第24課　本文　日本語(にほんご)で　お願(ねが)いします

きんじょ　近所	hàng xóm	近处	이웃, 근처
しつもんします　質問します	hỏi	提问	질문합니다
こたえます　答えます	trả lời	回答	대답합니다
いっしょうけんめい　一生懸命	cần mẫn	努力	열심히
このあいだ　この間	vừa rồi, vừa qua	前几天	전번에
だめ、だめ。	Không! Không!	不行，不行。	안돼, 안돼!
こんどは　今度は	đợt tới	这次	다음에는
ライブラリー	thư viện	图书馆	도서관

第24課　プラスアルファ　それ、英語(えいご)？

いみ　意味	nghĩa, ý nghĩa	意思	의미, 뜻
ガソリン	xăng	汽油	가솔린
ソファ	ghế xô-pha	沙发	소파

第25課　本文　将来(しょうらい)は…

しょうらい　将来	tương lai	将来	장래
おなじ　同じ	cùng một	同样，一样	같은 N
みつかります　見つかります	được tìm thấy	找到	찾습니다
じぶん　自分	mình	自己	자기, 자신
けいけんします　経験します	trải nghiệm	体验	경험합니다
ほんとうは	sự thật là	其实	사실은
ミュージシャン	nhạc sỹ	(流行歌曲的) 演奏家	뮤지션
いくら～[ても]	～ bao nhiêu đi nữa	即使～也	아무리 ～라도
あんていした　安定した	ổn định	安定的	안정된 N
しあわせ[な]　幸せ[な]	hạnh phúc	幸福	행복
けんか	cãi nhau	吵架	싸움, 다툼
げきだん　劇団	đoàn kịch	剧团	극단
はいります　入ります	vào, gia nhập	加入	들어갑니다
えんげき　演劇	diễn kịch	演剧	연극
せいかつします　生活します	sinh sống	生活	생활합니다
こうかいします　後悔します	hối hận	后悔	후회합니다

でます　出ます	leave	keluar	ออก (จากบ้านไปใช้ชีวิตคนเดียว)
おや　親	parent	orang tua	พ่อแม่
くるしい　苦しい	needy, hard	sukar, susah	ยากลำบาก, ทรมาน

第25課　プラスアルファ　若(わか)い　人(ひと)の　考(かんが)え方(かた)

しゃかい　社会	society	masyarakat	สังคม
せいこうします　成功します	succeed	berhasil, sukses	ประสบความสำเร็จ
どりょく　努力	effort	usaha	ความพยายาม
さいのう　才能	ability, talent	bakat	พรสวรรค์, ความสามารถ
うん　運	luck	nasib	โชค
がくれき　学歴	educational background	riwayat pendidikan	ประวัติการศึกษา
みぶん　身分	social class	status	สถานภาพ, สถานะทางสังคม
いえがら　家柄	social status of a family	silsilah	เชื้อสาย, ตระกูล
おや　親	parent	orang tua	พ่อแม่
ちい　地位	position, status	posisi, kedudukan, jabatan	ตำแหน่ง, ฐานะ
えらびます　選びます	choose	memilih	เลือก
ないよう　内容	contents	isi	เนื้อหา
しゅうにゅう　収入	income	pendapatan	รายได้, รายรับ
しょくば　職場	workplace	tempat kerja	ที่ทำงาน
ふんいき　雰囲気	atmosphere	suasana	บรรยายกาศ
ろうどうじかん　労働時間	working hours	jam kerja	ชั่วโมงทำงาน
しょうらいせい　将来性	promising	kemungkinan masa depan	ความก้าวหน้า, ความมีอนาคต
(〜に)したがいます　(〜に)従います	obey	mengikuti	ทำตาม〜, เชื่อฟัง〜
どちらかといえば	rather, relatively	lebih condong	ค่อนข้างจะ
むかいとう　無回答	non-respondent	tidak dijawab	ไม่ตอบ, ไม่ออกความเห็น
ちがいます　違います	be different	berbeda	ไม่เหมือนกัน, แตกต่าง

でます　出ます	bỏ ra đi	离开	나옵니다
おや　親	bố mẹ	父母	부모
くるしい　苦しい	khổ sở, khó khăn, cơ cực	艰苦	힘들다

第25課　プラスアルファ　若(わか)い　人(ひと)の　考(かんが)え方(かた)

しゃかい　社会	xã hội	社会	사회
せいこうします　成功します	thành công	成功	성공합니다
どりょく　努力	nỗ lực	努力	노력
さいのう　才能	tài năng, năng lực	才能	재능
うん　運	may mắn, vận may	运气	운
がくれき　学歴	học vấn	学历	학력
みぶん　身分	đẳng cấp xã hội	身份	신분
いえがら　家柄	gia thế	门第	가문，집안
おや　親	bố mẹ	父母	부모
ちい　地位	địa vị	地位	지위
えらびます　選びます	lựa chọn	选择	고릅니다
ないよう　内容	nội dung	内容	내용
しゅうにゅう　収入	thu nhập	收入	수입
しょくば　職場	nơi làm việc	工作岗位	직장
ふんいき　雰囲気	bầu không khí	气氛	분위기
ろうどうじかん　労働時間	thời gian lao động	工作时间	근무시간
しょうらいせい　将来性	triển vọng	有发展、有前途	장래성
(～に)したがいます　(～に)従います	nghe theo	听从	(～에) 따릅니다
どちらかといえば	nếu nói phải chọn thì	二者择一的话	어느 쪽인가 하면
むかいとう　無回答	không trả lời	未回答	무답변
ちがいます　違います	khác	不同	다릅니다

解答(かいとう)

ページ

3　ウォーミングアップ1　お国(くに)は　どちらですか

1．①　2．⑧　3．⑤

4　ウォーミングアップ2　ジュースを　お願(ねが)いします

1．1,050　2．950　3．1,500

5　ウォーミングアップ3　こうべまで　いくらですか

1．560　2．800　3．920

6　ウォーミングアップ4　いつ　行(い)きますか

木曜日(もくようび)の　よる　7：00～9：00と　日曜日(にちようび)の　9：00～12：00

7　ウォーミングアップ5　何時(なんじ)の　飛行機(ひこうき)で？

1．7：00　2．18：15　18：50　19：30　19：50

8　第6課　本文　お花見(はなみ)

Ⅰ　①土曜日(どようび)　②お花見(はなみ)　③（午前(ごぜん)）7時(じ)30分(ぷん)　④2,550円(えん)　⑤飲み物(のみもの)

10　第7課　本文　もらいました・あげました

Ⅰ　A②　B②　C①　D④　E⑤

12　第8課　本文　町(まち)の　生活(せいかつ)・田舎(いなか)の　生活(せいかつ)

Ⅰ　1．①　2．②　3．②　4．②　5．②

14　第9課　本文　日本(にほん)が　好(す)きです

Ⅰ　1．1）○　2）○　3）×　4）×

2．1）とても　便利(べんり)ですから。

2）毎日(まいにち)　奥(おく)さんの　おいしい　料理(りょうり)を　食(た)べますから。

16　第10課　本文　美術館(びじゅつかん)

Ⅰ　A　4　B　5　C　3　D　2　E　－

18　第11課　本文　お祭(まつ)り

Ⅰ　1．1）×　2）×　3）○　4）○

2．1）2台(だい)　もらいました。　2）4つ(よっつ)　食(た)べました。

3）2枚(まい)　食(た)べました。　4）4人(にん)　いました。

20　第11課　プラスアルファ　お祭(まつ)りに　行(い)きましょう

A．④　B．⑦　C．②　D．③　E．①　F．⑤

22　第12課　本文　沖縄旅行(おきなわりょこう)

Ⅰ　1）×　2）×　3）○　4）×　5）○

ページ

24　**第12課　プラスアルファ　クイズ　世界と　日本**

１．○　２．×　３．×　４．○　５．×　６．×　７．○

８．①　９．②　10．①　11．②　12．①　13．③

26　**第13課　本文　宝くじ**

Ⅰ　２（A）→３（D）→４（C）→５（F）→６（B）

28　**第14課　本文　ビデオレター**

Ⅰ　1．洋子さんに　送りました。

2．橋の　上で　弾いて　います。

3．熱かったですが、とても　おいしかったです。

4．犬と　散歩して　います。

5．大阪城を　見に　行きます。

30　**第14課　プラスアルファ　みんなの　伝言板**

１．たかはしさん　２．山本さん

32　**第15課　本文　高校**

Ⅰ　１．１）A　２）C　３）B　４）A　５）C

２．１）○　２）○　３）×

34　**第15課　プラスアルファ　日本の　高校生に　聞きました**

１．○　２．×　３．×

36　**第16課　本文　想像の　動物**

Ⅰ　人魚（４）　ケンタウロス（５）　スフィンクス（－）　河童（２）　天狗（３）

38　**第17課　本文　江戸時代**

Ⅰ　１．×　２．×　３．○　４．×　５．×

40　**第18課　本文　個人旅行？　団体旅行？**

Ⅰ　１．A　２．B　３．B　４．A　５．B

42　**第18課　プラスアルファ　ここは　どこですか**

A ⑥　B ②　C ④　D ③

44　**第19課　本文　相撲**

Ⅰ　１．1300年ぐらいまえから　始めました。

２．江戸時代に　プロスポーツに　なりました。

３．６回　見る　ことが　できます。　４．はい、できます。

46　**第20課　本文　伊能忠敬の　一生**

Ⅰ　①伊能忠敬　②50　③江戸　④天文学　⑤1816

48　**第20課　プラスアルファ　クイズ　地図(ちず)の　記号(きごう)**

1．③　2．②　3．①　4．③　5．①

49　**第20課　プラスアルファ　クイズ　日本(にほん)の　地理(ちり)**

1．①　2．①　3．②　4．①　5．②

50　**第21課　本文　雨(あめ)　降(ふ)って、地(じ)　固(かた)まる**

Ⅰ　1．③　2．③　3．②

54　**第22課　本文　テレビ放送(ほうそう)**

Ⅰ　1．①皇太子(こうたいし)の　結婚式(けっこんしき)　②200万(まん)　③（東京(とうきょう)で）オリンピック

2．1）×　2）○　3）○

56　**第22課　プラスアルファ　テレビ番組(ばんぐみ)**

A．22：00　9（チャンネル）　B．20：00　3（チャンネル）

58　**第23課　本文　コーヒーを　飲(の)むと**

Ⅰ　1．1）×　2）×　3）×

2．元気(げんき)に　なります。頭(あたま)の　働(はたら)きが　よく　なります。

リラックスする　ことが　できます。体(からだ)が　温(あたた)かく　なります。

60　**第24課　本文　日本語(にほんご)で　お願(ねが)いします**

Ⅰ　1．1）×　2）×　3）○　4）×

2．②

62　**第24課　プラスアルファ　それ、英語(えいご)？**

1．D　2．F　3．E　4．B　5．A　6．C

64　**第25課　本文　将来(しょうらい)は…**

Ⅰ　1．1）①，②　2）②　3）②

2．1）大学(だいがく)で　勉強(べんきょう)したい　ことが　見(み)つかりませんでしたから、大学(だいがく)へ

行(い)っても、意味(いみ)が　ないと　思(おも)いました。

2）両親(りょうしん)が　大学(だいがく)を　出(で)なければ　ならないと　言(い)いました。川田君(かわだくん)も　そう

思(おも)いましたから。

3）佐藤君(さとうくん)と　両親(りょうしん)の　意見(いけん)が　違(ちが)いましたから。

66　**第25課　プラスアルファ　若(わか)い　人(ひと)の　考(かんが)え方(かた)**

1．フランス　2．日本(にほん)　収入(しゅうにゅう)　3．フランス

教師用ガイド

本書は初級前期の学習者を対象にした読解教材です。学習項目は『みんなの日本語　初級Ⅰ　第２版　本冊』に準拠しています。『みんなの日本語　初級Ⅰ　第２版　本冊』以外の教科書をお使いの場合は学習項目一覧の文型を参考に適当なものを選んでください。

Ⅰ　作成方針

日本語学習における読解はややもすれば問題を解くための練習が中心のものになりがちです。そのため学習者は長い文章を詳しく読み取る作業を課され、読むことが苦痛になる場合もあります。本書は、初級前期の学習者が「読む」ことをおもしろいと感じ、楽しみながら読む技術を身につけられることを目指して、以下の点に配慮しました。

１．さまざまな内容、形式の読み物で構成する。

学習者の興味、関心は人によって違いますが、いろいろな学習者が楽しんで読めるように内容、形式ともにできるだけバラエティーに富んだものにしました。

２．本文の長さは１ページ程度（600字程度）に収める。

課によって多少の違いはありますが、原則として、文章は初級前期の学習者に適当と思われる長さにしました。課が進むに従って短いものから長いものに徐々に移っていくようにしてあります。

３．文法項目は既習の範囲で理解できるものにする。

習っていない文法項目が出てくると、それにひっかかってしまい、読む作業が中断してしまうことがあります。全体を読み通すということを第一に考え、文法項目を既習の範囲で理解できるものにしてあります。なお、理解が難しいと思われる文法項目が含まれている場合は、［留意点］で説明しています。

４．新出語彙はできるだけ少なくする。

知らない語彙が多いと読む意欲をそいでしまいます。『みんなの日本語　初級Ⅰ　第２版　本冊』の該当課までで習っていない語彙は各課とも10～20程度とし､学習者の便をはかって６か国語訳をつけました。

５．問題は内容のポイントが読み取れているかどうかを問うものにする。

初級の前期ということで、精読を要求するよりは内容のポイントをとらえる練習を数多く継続的に行い、読みに慣れることを目指しました。

６．振りがなは漢字の下に振る。

日本語を読む際に漢字学習は不可欠のものですが、初級前期の段階では漢字学習の進度に差があります。この点に配慮して漢字にはすべて振りがなを振ってありますが、漢字の下に振ってありますので、漢字学習が進んでいる学習者には振りがなを隠して読ませることが可能です。

Ⅱ　構成と特徴

「ウォーミングアップ」「本文」「プラスアルファ」があります。

１．ウォーミングアップ

読むことに慣れるためのページです。メニューや時刻表あるいは短い文などから値段、曜日、時間、名前などの必要な情報を探させます。

２．本文

トピックや形式がさまざまな読み物で構成されています。問題にはⅠとⅡがあり、問題Ⅰは内容がどのくらい理解できているかを確認するものです。問題Ⅱは、読んだ内容に関連した教室活動を行うためのタスクです。単に読んで解答して終わりというのではなく、学習者の能動的な言語活動を促すのがこのタスクの目的です。本文の内容に関連した資料が載っている課もありますので、タスクに活用してください。

３．プラスアルファ

課によっては「プラスアルファ」のページを設けてあります。これはクイズ、アンケートなどの形式が中心で、読んで楽しむためのページです。時間的に余裕がある場合や、早く本文を読み終えてしまった学習者がいた場合などに読ませるとよいでしょう。また、教室活動を行う際の話題としても利用してください。

Ⅲ　使い方

ウォーミングアップ、第６課から25課までの本文とプラスアルファの使い方を以下の点について簡単に説明します。

ねらい　：学習者が読んで何をするか、何がわかればいいかなどについて

読むまえに：指導するまえにしておいたほうがいい準備、読解に入るまえに導入として行ったほうがいいことについて

読んでから：読解が終わったあとで、どのように内容を発展、応用させるかの例について
留意点　　：文法および活動に関する補足説明

以上が、授業を楽しく、おもしろいものにするヒントになれば幸いです。なお、読解は学習者のレベルによってかかる時間が異なりますので、各課の読解に特に標準的な所要時間を設けていません。学習者に応じて、適当な時間をとって本書を活用してくださるようにお願いいたします。

ウォーミングアップ１　お国はどちらですか

留意点

・「中国の方」の「方」は「あの方」の「方」と同じで、「人」の丁寧な表現。

第６課　本文　お花見　［花見のお知らせ］

ねらい

・掲示されたお知らせを読み、その内容を伝える。
・いつ、どこで、何をするかなどの必要な情報をとらえ、伝えることができる。

読むまえに

・「お花見」について、学習者がどのくらい知っているか聞いてみる。
・桜や花見の写真などを準備するとよい。
・留学生や外国人向けに書かれた簡単な内容のバザーや交流パーティーなどのお知らせのプリントも準備しておくとよい。

読んでから

・準備したお知らせや案内を見て、何が、いつ、どこであるかなどの情報をおおまかにつかませてみる。
・ハイキングや運動会、バザーなどのイベントのお知らせを作らせてみる。

留意点

・駅名や路線名になじみがない場合は、身近な場所名に書き換えて読ませる。

第７課　本文　もらいました・あげました　［物のやりとりについての叙述文］

ねらい

・主人公が来日時にだれから何をもらい、帰国時にだれに何をあげたかが読み取れる。
・あげもらいの表現が理解できる。

読むまえに

・来日前や来日後に、物をあげたり、もらったりした経験があるかどうか聞いてみる。

読んでから

・「読むまえに」で確認した事柄を、テキストの絵を参考に図をかかせ、発表させる。

第８課　本文　町の生活・田舎の生活　［対照的な生活をしている２人のはがき］

ねらい

・簡単な手紙文を読んで、町と田舎の生活の違いを知る。
・形容詞を使って述べられた感想や意見が読み取れる。

読むまえに

・日本語の勉強、食べ物、今の生活などについて聞いてみる。

読んでから

・学習者間で日本での生活について短い手紙を交換し、皆の前で読む。
・よくできるクラスでは、町派、田舎派の２つのグループに分け、簡単な意見を言わせる。

第９課　本文　日本が好きです　［日本に住んでいる外国人へのインタビュー記事］

ねらい

・インタビュー形式で書かれた文を読んで、ある外国人の日本での生活を知る。
・好き嫌いやその理由、また感想が読み取れる。

読むまえに

・インタビューの文であることを確認しておく。
・畳やこたつなど日本的な生活様式を伝える絵や写真を準備しておくとよい。

読んでから

・日本の生活について、好きなこと（もの）、嫌いなこと（もの）を話させる。
また、学習者どうしで、好きな（嫌いな）理由を聞いたり、話したりさせる。

・インタビューの項目を自分で考えて、ほかの学習者にインタビューさせる。

第10課　本文　美術館　［いろいろな絵の描写文］

ねらい

・絵を見て物や人の位置関係を説明してみる。文から読み取った構図と合う絵を選ぶ。
・物や人の存在と位置を説明する文が読める。

読むまえに

・どんな画家を知っているか、どんな絵（人、自然、静物）が好きか質問する。日ごろよく目にし、親しんでいる絵または写真を準備しておくとよい。

読んでから

・学習者の１人に準備した絵を見せ、存在文、位置詞に注意しながら、どこに何がかかれているか説明させる。ほかの学習者はそれを聞いて絵をかく。

留意点

・絵や写真の中の物の位置関係を説明する場合、「右」と「左」については向かって「右」、向かって「左」であることに注意する。

第11課　本文　お祭り　［日本の祭りの体験談］

ねらい

・神社の祭りの体験談を読んで、露店や神輿、踊りなど、日本の祭りについて知る。
・助数詞がわかる。

読む前に

・日本の祭りに行ったことがあるか、聞いてみる。
・神輿や露店、神楽など祭りの様子がわかる写真を準備しておくとよい。

読んでから

・学習者の国（住んでいる地域）の祭りを紹介させる。行ったことがある祭りについて絵や写真などを見せながら、説明させるとよい。

第11課　プラスアルファ　お祭りに行きましょう　［助数詞を使ったクイズ］

・第１１課で学習した助数詞以外にさまざまな助数詞があることをクイズ形式で知る。
・金魚すくいや輪投げなどの遊び、たこ焼き、りんごあめやジュースなどの飲み物、食べ物など、お祭りに並ぶ屋台の絵や写真を準備すると楽しめるだろう。
・お面は、お祭りの屋台などで売られているプラスチックのものは「一枚」、お能や狂言などで使われるものは「一面」と数えられる。ジュースは紙コップに注いで売られているものを指す。

留意点

・「本、杯、匹、羽」は１、３、６、８、１０につく場合は、前に来る数によって読み方が変化する。
『みんなの日本語　初級Ⅰ　第２版　翻訳・文法解説』p.１６９参照。
「羽」は鳥やうさぎなどを数えるときに使う。

第12課　本文　沖縄旅行　［旅行の感想文］

ねらい

・沖縄旅行について書かれた文を読み、沖縄がどんな所か、簡単に知る。
・感想文を読んで、何をしたか、どう感じたかが読み取れる。

読む前に

・沖縄がどこにあるか、どんな町があるかなど、地図を使って確認しておく。
・旅行のガイドブックやパンフレットなどを準備しておくとよい。

読んでから

・沖縄についての質問（行き方、名所、食べ物、お土産など）が出たら、準備した資料を基に教師が情報を与える。
・日本での旅行体験があれば、それについて、話させたり、書かせたりする。
・自国で行ったことがある観光地などを、自分の体験を織り交ぜ、発表させる。

第12課　プラスアルファ　クイズ　世界と日本　［比較文を使ったクイズ］

・比較文で書かれた質問を読んで、世界の地理、日本事情についてのクイズをする。
・日本地図を準備して、それぞれの都道府県がどこにあるか確認しながらやるとよい。

・この課のクイズの答えは今後変わる可能性がある。また、８、12は都道府県を指す。

第13課　本文　宝くじ　［宝くじに当たった夢の話］

ねらい

・書かれている出来事に合う場面の絵を選ぶ。
・順序を追って、出来事を理解することができる。

読むまえに

・宝くじについて質問してみる。
・日本の宝くじについての知識を与える。宝くじの実物を準備しておくとよい。

読んでから

・「３億円で」を参考にしながら、大金を手に入れたら、何が欲しいか、何がやりたいかをその理由も併せて発表させる。
・それぞれの国の宝くじについて知っていることを話させる。

第14課　本文　ビデオレター　［実況中継スタイルの大阪名所案内］

ねらい

・写真を見ながらビデオレターの内容を理解する。
・「だれが」「どこで」「何を」などの文のポイントとなる情報がとらえられる。

読むまえに

・大阪についてどんなことを知っているか聞いてみる。
・大阪の繁華街や名所へ行ったことがある学習者がいたら、何をしたか、どんな印象だったか聞いてみる。
・大阪観光のパンフレットなどを準備しておく。

読んでから

・自分が観光地や名所へ行ったときの動画があれば、それを友達に見せながら実況中継してみる。観光でなくても、自分の学校の様子を紹介したり、日常生活の一端を紹介するなどの活動もできる。

留意点

・『みんなの日本語　初級Ⅰ　第２版　本冊』の14課では「～は～ています」だが、この課では「～が～ています」が出てくる。この「が」は『みんなの日本語　初級Ⅰ　第２版　翻訳・文法解説』p.160～162を参照。

第14課　プラスアルファ　みんなの伝言板　［公民館などの掲示板のお知らせや問い合わせ］

・いろいろなお知らせの中から自分に必要な情報を選び出す。
・お知らせを作る場合に、どんな情報が必要か話させる。

留意点

・「うちのねこを見ませんでしたか」は否定疑問文(否定形の疑問文)である。否定疑問文は多くの場合、否定とは反対の話し手の見込みや期待を表すときに使われる。ここでは「だれかが『うちのねこ』を見た」ことを期待して、ねこの行方に関する情報をもらうため、ねこを特定できる情報（３歳の白いねこで名前がミーである）を付記している。

第15課　本文　高校　［日本の３つの高校を紹介］

ねらい

・いろいろな高校があることを知る。
・してもいいこと、してはいけないことを読み取る。

読むまえに

・日本の学校制度を知っているかどうか聞く。
・日本の高校にどんな種類があるか、高校生はどんな生活をしていると思うか聞く。

読んでから

・自分の出た高校と比べてどうか話し合う。
・どんな規則があるといいか、ないほうがいい規則はないか話し合う。

留意点

・「日本では小学校と中学校の９年間は義務教育です。」の「は」については『みんなの日本語　初級Ⅰ　第２版　翻訳・文法解説』p. 117の５を参照。
・「中学生の97%以上が高校へ行きます」の「が」は『みんなの日本語　初級Ⅰ　第２版　翻訳・文

法解説』p.160 ～ 162を参照。
・「サッカーをしていました」「高校へ行っています」は15課学習項目「働いています、勉強しています、教えています」と同じ使い方で、習慣的行為を表し、その結果、主題の人物の立場、職業、身分を表す。
・「女の生徒」は「女の人、女の子」の「女の～」と同じ使い方である。
・第11課では「年数（期間）」を表す場合、「～年」であると学習したが、ここでは「～年」と「～年間」が出ている。「～年間」は期間であることをより明確に表したい場合に用いられる。

第15課　プラスアルファ　日本の高校生に聞きました　［高校生の生活と意識調査］
・日本の高校生の生活と意識調査の結果を知り、自国の高校生のそれと比べる。
・「日本の学校制度の図」を用いて日本の学校制度を紹介する。

留意点
・『みんなの日本語　初級Ⅰ　第２版　本冊』の第11課では、「（期間）に（回数）」しか学習していないが、「1日にどのくらい」の「に」も同じ用法である。

第16課　本文　想像の動物　［民間に伝承される想像上の動物の描写文］

ねらい
・文から読み取った内容に合う絵を選ぶ。
・生物の形状、特徴を描写する文が読める。

読むまえに
・実在・想像を問わず、特徴のある動物の絵・写真を準備し、知っているかどうか聞く。

読んでから
・各国の想像上の動物を絵にかいて紹介させる。まず口頭で発表させ、それを聞いた人が絵にかいてみるのも楽しい。

留意点
・一つのやり方として、まず右のページを見せないで、左のページを読んで絵をかかせ、右ページの絵にどのくらい近いものがかけたか比べてみるのもおもしろい。

第17課　本文　江戸時代　［江戸時代のいろいろな決まりについての説明文］

ねらい
・江戸時代にどんな規則、義務があったかについての説明文を読む。
・してはいけないこと、しなければならないことが読み取れる。

読むまえに
・本文の下の年表で江戸時代はいつごろか確認しておく。
・江戸時代の風俗、町並み、家並み、文化などがわかる絵や写真を集めておくとよい。

読んでから
・江戸時代について教師が説明し、同時代の学習者の国について考えさせる。

第18課　本文　個人旅行？　団体旅行？　［旅行方法の長所、短所の比較］

ねらい
・箇条書きの文を読む。
・２つの方法の長所、短所を読み取ることができる。

読むまえに
・今まで経験した旅行について聞いてみる。
・実際の旅行パンフレットを何種類か用意しておくとよい。

読んでから
・自分はどちらの旅行方法を選択するか、理由を挙げて、話し合わせる。
・ほかのトピック（例：布団とベッド、町と田舎の暮らしなど）でも可能、不可能をとりあげ、長所、短所を比較させる。クラスであれば、２つのグループに分けて、ディベートさせる。

留意点
・「旅行会社の人がします」の「が」については『みんなの日本語　初級Ⅰ　第２版　翻訳・文法解説』p.160 ～ 162を参照。

第18課　プラスアルファ　ここはどこですか［説明文を読んで、場所を当てるクイズ］

・説明文を読んで、その説明に合う場所を選ぶ。
・いくつかの文に共通の語彙に惑わされず、その場所が指定するキーワードをうまくつかませる。
・学習者の国でもその場所が同じような状況かどうかについて話し合う。
・テキストの文を参考に、場所についての説明文を作らせ、お互いに当てさせる。

留意点

・「静かに寝てください。」の「静かに」については『みんなの日本語　初級Ⅱ　第２版　翻訳・文法解説』p.73の４を参照。

第19課　本文　相撲［相撲の歴史と現状についての簡単な説明文］

ねらい

・相撲の歴史について書かれた説明文を読む。
・物事の変化、成り行きが読み取れる。

読むまえに

・学習者がどのくらい相撲のことを知っているか、確認しておく。見たことがない学習者がいる場合は写真やビデオなどで紹介するとよい。
・日本の時代区分については17課「江戸時代」の「日本の時代」を参照する。

読んでから

・相撲に対する興味、好感度、知っている力士などについて話す。あるいは、それらに関する簡単なアンケートを準備して、答えさせてもよい。
・自国にある相撲に似たスポーツや歴史の古いスポーツを紹介させる。
・相撲のビデオなどを利用して、相撲のルール、決まり手などを知る。

留意点

・「小さい力士が大きい力士に勝ちます」「時々日本から外国へ力士が行って、相撲をします」の「が」については『みんなの日本語　初級Ⅰ　第２版　翻訳・文法解説』p.160 ～ 162を参照。
・落語や歌舞伎は語彙訳だけではわからない場合があるので、写真やビデオがあれば準備しておくとよい。

第20課　本文　伊能忠敬の一生［伊能忠敬の年譜］

ねらい

・江戸時代に日本地図を初めて作った人の経歴、および彼が切手のデザインになったことを年譜から読み取る。
・年譜のスタイルで書かれた普通体の文が読める。年譜を読み取り、丁寧体の記述文を完成させる。

読むまえに

・江戸時代の有名人で知っている人がいるか、いたら、その人が何をした人か聞く。

読んでから

・それぞれの国の切手やお金を持って来させ、デザインされている人物について話させる。その経歴を年譜スタイルで書かせてもよい。

第20課　プラスアルファ　クイズ　地図の記号［日本の地図記号に関するクイズ］

・地図記号は国によって異なる。日本の地図記号に関するクイズをしながら、地図を見ることを楽しむ。

◎	市役所	Y	消防署	⊗	警察署	〒	郵便局
文	小中学校	⊕	病院	⛩	神社	卍	寺院
🏛	博物館	📖	図書館	⌂	老人ホーム	煙突記号	煙突
風車記号	風車	♨	温泉	避難記号	緊急避難場所	☼	工場

クイズ　日本の地理［日本の地理に関するクイズ］

・日本の地理に関するクイズをすることによって、日本をよりよく知る。

第21課　本文　雨降って、地固まる　［夫婦げんかの相談のコラム記事］

ねらい

・相談するときの表現、アドバイスを与えるときの表現などに注意しながら、相談者と回答者からなる身の上相談というスタイルの文を読む。

・けんかの原因と経過、仲直りするためのアドバイスの内容が読み取れる。

読むまえに

・困ったときにどうするか、だれに相談するか聞いてみる。

・新聞の身の上相談欄などを見せて、学習者の国にも同じようなものがあるかどうか聞く。

読んでから

・自分が回答者だったら、どんなアドバイスをするか、学習者に考えさせる。

・無記名で悩みを書かせて、それを教師が読み上げ、皆に回答させる。

留意点

・「ごみはいつもわたしが捨てます。」（名詞$_1$は名詞$_2$が動詞）については、『みんなの日本語　初級Ⅰ　第２版　翻訳・文法解説』p.153の３を参照。

・『みんなの日本語　初級Ⅰ　第２版　本冊』の21課では「～と思います」を学習しているが、この課には「～と思っています」が出てくる。この「～ています」は15課の「～ています」と同じものである。『みんなの日本語　初級Ⅰ　第２版　翻訳・文法解説』p.98の３を参照。

第21課　プラスアルファ　結婚!!??　［結婚アンケートと結婚に関するデータ］

・アンケートに答える。またクラスのほかの人の回答と自分のを比べてみる。

・データを見ながら、クラス全体で結婚について話したり、意見を言わせたりする。

留意点

・「１年に何組」の「に」は第15課プラスアルファの説明を参照。

第22課　本文　テレビ放送　［日本のテレビ放送の歴史についての説明文］

ねらい

・テレビの登場に際してのエピソードやテレビが普及した時代的な背景について書かれた説明文を読む。

・物事の推移を順にとらえ、年表に必要なデータが取り出せる。

読むまえに

・テレビがいつごろできたか、だれが作ったかなど、テレビに関する質問をしてみる。

・古いテレビの写真、天皇の皇太子時代の結婚式、東京オリンピックの写真などがあると参考になる。

読んでから

・テレビに関して、見る時間帯、好きな番組、テレビの将来などについて話し合う。

留意点

・「１日に４時間」の使い方については第15課のプラスアルファの説明を参照。

・「たくさんの人が」の「が」については『みんなの日本語　初級Ⅰ　第２版　翻訳・文法解説』p.160～162を参照。

第22課　プラスアルファ　テレビ番組　［新聞やネットの番組表］

・番組表を見て、見たい番組を探す。

東京スカイツリーと法隆寺五重塔　［最新の電波塔と最古の木造建築の塔の紹介］

・東京スカイツリーとその参考となった法隆寺五重塔の説明を読んでみる。

第23課　本文　コーヒーを飲むと　［コーヒーの効用についての説明文］

ねらい

・説明文を読んで、身近な飲み物であるコーヒーの効用を知る。

・「ところで」「まず」「次に」「また」などの接続詞から、文の構成をつかみ、段落の展開を予測しながら読める。

読むまえに

・体にいい飲み物や食べ物について聞いてみる。

読んでから

・どんなときにコーヒーを飲むか、自分の経験と本文に書かれている内容とが合っているかどうか話させる。
・学習者の国で飲まれている健康にいい飲み物について話し、その効用を説明させる。
・コーヒーにまつわる一つのエピソードとして囲みの文を速読させる。

留意点

・「１年に560杯」の「に」については第15課のプラスアルファの説明を参照。
・「コーヒーは体に悪いと思っている人はいませんか」は否定疑問文（否定形の疑問文）である。否定疑問文は多くの場合、否定とは反対の話し手の見込みを表すときに使われる。ここでは「コーヒーは体に悪いと思っている人がいる」という話し手の見込みを表しており、そう思っている人に対して、話し手は、続く文で「実は体にいい」と言っている。

第24課　本文　日本語でお願いします　［英語話者ではない外国人の経験談］

ねらい

・日本人とのコミュニケーションに関する経験談を読んで、何があったか、食い違いのおかしさ、筆者の気持ちなどを読み取る。
・だれからだれにどんな行為がなされたかが理解できる。

読むまえに

・日本で親切にされた経験があるか、あればどんな経験か聞く。
・日本人とのコミュニケーションで何か困った問題はないか、聞いてみる。

読んでから

・主人公と似たような経験、あるいはほかの経験を話させる。
・主人公の日本人への注文について、賛成かどうか話し合わせる。

第24課　プラスアルファ　それ、英語？　［和製英語の意味］

・文脈からかたかな語の意味を類推し、正しい絵を選ぶ。
・よく使われる和製英語を教師が提示して意味を考えさせたり、学習者がよく目や耳にするかたかな語を挙げさせたりする。
・雑誌や新聞の広告などから、かたかな語を探させ意味を考えさせるのもおもしろい。

第25課　本文　将来は…　［３人の若者の生き方についての意見文］

ねらい

・３人の若者のそれぞれの将来の計画を読む。
・それぞれの考えや意見の違いを読み取ることができる。

読むまえに

・将来の計画について簡単に聞いてみる。

読んでから

・３人の若者の生き方についてどう思うか話し合わせる。
・自分が親だったら、どうするか考えさせる。

留意点

・「幸せになることはできない」で「が」の代わりに「は」が使われている。好悪や可能の対象は「が」で示されるが、話題として取りたてる場合には「が」の代わりに「は」を用いる。『みんなの日本語　初級Ⅱ　第２版　翻訳・文法解説』p.13の４を参照。

第25課　プラスアルファ　若い人の考え方　［各国の青年の意識調査］

・それぞれのデータから質問の答えを読み取る。
・データからわかる内容について感想を言わせる。
・自分だったら、どんな答えを選ぶか考えさせる。
・意識調査の質問項目についてクラスの人にアンケートをして、結果をまとめさせる。